夢醒南加州

逍 遙 客 著

文 學 叢 刊
文史哲出版社印行

國家圖書館出版品預行編目資料

夢醒南加州 / 逍遙客著,-- 初版 -- 臺北市：
文史哲, 民 103.07
頁; 公分（文學叢刊；327）
ISBN 978-986-314-195-2（平裝）

855　　　　103013111

文學叢刊 327

夢醒南加州

著　　者：逍　遙　客
出 版 者：文 史 哲 出 版 社
http:// www.lapen.com.tw
e-mail：lapen@ms74.hinet.net
登記證字號：行政院新聞局版臺業字五三三七號
發 行 人：彭　正　雄
發 行 所：文 史 哲 出 版 社
印 刷 者：文 史 哲 出 版 社
臺北市羅斯福路一段七十二巷四號
郵政劃撥帳號：一六一八〇一七五
電話886-2-23511028・傳真886-2-23965656

定價新臺幣三二〇元

中華民國一〇三年（2014）七月初版

ISBN 978-986-314-195-2　　09327

自序

驀然回首來時路，不禁感慨萬千。

八〇年代電腦剛起步之際，經濟尚未起飛，所以並不普及；且仍處戒嚴時期，兩岸也未開放往來。雖然國內已開放國民可以自由出國觀光旅遊，因經濟能力所限，並不熱絡，更遑論遠至歐美觀光了。

那年，親友和兒女乍聽我們要去美國求學奮鬥，開闢生活第二戰場，都感到非常驚訝與錯愕。

佛家說：凡事成功要因緣俱足，或眾緣和合，倘若缺少其中任何一項好因緣，必定好事多磨，甚至以失敗收場。如果反其道而行，則會像水不到渠難成了。

依當年的時空背景，經濟能力和家庭狀況，我們可說都不俱足到美國奮鬥的條件，既使全家幸運通過簽證。來到美國後一路走來非常艱辛坎坷，在此期間幸蒙多位貴人，伸出援手從旁協助，在我們最徬徨氣餒時，給予良性建議及鼓勵。多次歷經走到「山窮水盡疑無路，柳暗花明又一村」，讓我們豁然開朗與驚喜，最後總算圓了憧憬多年的「美國留學夢」。

我們夫妻倆在教育界服務十幾二十年，深諳國內的教育制度、教材與教法的缺失，可謂積弊甚深，當然自己也曾身受其害，但卻無可奈何……。眼看即將進入中學的兒女，每天背著沉重的書包，拖著疲憊的身心，難得展現天真的笑容，更談不上其他有益身心的娛樂；一味忙碌於校內課業，更被迫上補習班修習其他科目，目的無非爲了升學考試，誰願兒女輸在起跑點？長期塡鴨式的訓練，肯定有許多後遺症。

有道是天下父母心，那個不期盼兒女成龍成鳳？將來有好的出路，過上好日子。爲了讓他們早些脫離惡劣的教育環境，長大後才有更寬廣的發展空間及生活品質，於是我們決心替他們未雨綢繆，想法子實現理想。

再說英語文化的重要，不言可喻，若要吸取各種先進的新知識、新觀念和新思想，非精通英語不可，若能夠熟悉其聽、說、讀、寫的流暢，非趁年輕時長期在良好英語環境薰陶不可。仔細想來，美國之所以成爲全球超強的原因頗多，其中教育的發達與成功是有口皆碑。美國教育的特色，富挑戰精神，重視獨立思考和多元靈活的教材、教法等……這些都令我們非常嚮往，因此我們決心帶兒女奔向美國。

本書內容是坦率的生活記錄和自己難忘的回憶，其中人事物均非面壁杜撰。如今轉眼三十年過去，都已是耄耋老人，或許有些已不居住美國，然世事滄桑，任誰也難逃無常的宿命，雖然歷經無情歲月的淘洗，或許有些已經沉澱了，但那段刻骨銘心的往事，尤其初抵美國所經歷的艱困，點滴在心頭，可說沒齒難忘，惟有用文字，一五一十忠實紀錄下來，才不致在無情歲月中煙滅。

三年前我退休，毫不猶豫束裝返台，定居故鄉竹東鎮。古稀之年，心喜身心尚稱安穩，午夜夢迴難免緬懷，昔日患難之交——忠厚的彼得古、善良的安妮，以及老林、喬治、老姜夫婦。在那段受挫最深，氣餒無助的辛酸日子，感謝他們誠摯的友誼，給我無限溫暖與激勵，讓我們一家勇敢面對挑戰，在美國安定下來，孩子皆如願受到良好教育，獲得穩定的工作，感恩不盡。

本書承蒙劉守相先生及劉玖香女士協助校對，始得順利出版，在此特致謝忱。

逍遙客

夢醒南加州

很久以前，我聽說南加州天氣非常清爽，全美國排名第一，也是世界聞名，屬於地中海型氣候，幾乎沒有冷熱之分，整年也難得下幾天大雨，或刮什麼巨風，不論春夏秋冬，始終太陽高照，非常亮麗……這個傳聞一直給我留下十分深刻的印象，心理上產生了強烈的憧憬與羨慕，巴不得有一天能夠遷居到那兒，那該是多麼美好，多麼愜意的環境。

一九八三年初夏，離台灣學校放暑假大約兩個月，我終於從桃園中正機場獨自搭乘華航班機，先到東京，再歷經了十幾個時辰，而抵達了洛杉機。早年讀外國地理時，知道它是美國西海岸第一大城市，以人口總數來說，則排在東海岸的紐約市後面，算是全美國第二大城市，人口約有八、九百萬，好像比台北市多出四、五倍吧？好大一個現代化大都會，而且是全球最強大、最富裕的美利堅合眾國的大城市之一，如雷貫耳，我終於像做夢一般雙腳實實在在踏上南加州的洛杉機市。那陣感觸是狂喜的，安慰的；也是複雜的、迷茫的、憂慮的……。

在台灣，我幾次從報載，傳聞和朋友口中，獲悉洛杉機是種族大熔爐，來自全球各地的族裔聚集在此奮鬥，創造和打拼，形成所謂多元文化，多彩多姿的社會形態。不可否認地，這也暗示一項冷酷，嚴肅與令人擔憂的訊息。想要在這兒生活或有所成就，可要加倍辛酸和努力；否則肯定會淪爲乞丐，流浪街頭，甚至客死異鄉，成了洋鬼子。

據說有人懷抱出國美夢，好不容易來到了美國，由於對美國社會太陌生，連英文也談不上流利，可說毫無心理準備，或精神武裝，而吃盡了苦頭，最後灰頭土臉，狼狽回鄉去。

結果，這些人除了增長些見識，領教些山姆大叔的行事作風以外，實質上是陪了夫人又折兵，損失了一大把鈔票，飽嚐了親朋好友的譏諷嘲笑，也丟掉了原先的好工作，和多年打拼的事業基礎。說不盡的懊悔，愧疚和氣餒之餘，也忍不住幾番自我調侃：「何苦來哉！美國不好混哩！還是自己家鄉好。」

儘管我聽到許多大同小異的傳聞，但內心始終不以爲然。毋寧說，我完全低估和忽視這類負面的新聞，無論如何想攜家帶眷，尤其想要讓兩個孩子來美國求學，這樣反而湧起一股更堅定，更好奇的意念，要來這塊富饒美麗的新大陸闖蕩，尤其嚮往西部或打鬥影片中，白人好漢前仆後繼跟紅蕃土著奮戰，歷盡千艱萬險才能創造夢寐以求的幸福家園。總之，這股熱烈而豪邁的雄心，使我不顧一切去了幾趟台北市美國在台協會遞件，面談，一而再，再而三，皇天不負苦心人，簽證果然批准下來。

記得剛拿了入境簽證，全家都歡喜萬分。一則平時對妻兒講過頗多美國讀書的好處，例如沒有沈重的升學壓力，可以完全學好英文，如願進入自己想進的大學，如果成績特優，也有機會進入世界頂尖大學……但卻閉口不提美國生活可能遭遇的辛酸、挫折，甚至把錢花光了，又找不到工作等悽慘的可能後果，致使妻兒心裏都認爲：「只要到了美國，一切都ＯＫ的美好日子。」另則是我們去了幾趟美國在台協會，大門前隨時都有一長排苦苦等候簽證的人，目睹他（她）們焦躁期待的面孔，聽到他（她）們哀聲嘆氣，不斷埋怨自己來過幾趟，都被打回票的氣人往事。總之，垂頭喪氣拿不到核准簽證的人，我們都親眼看過好多回，而今我們如願拿到入境簽證，難道不會打從心底湧出陣陣的歡喜嗎？說不，那是騙人的……。

但話又說回來，高興了一陣，卻沒有立刻去訂機票，或選擇航空公司和班機，我心裏反而有些緊張，有些躊躇了。毋寧說，我開始理智和清醒一些，這時離學期結束和放暑假，大約還有兩個月左右。平時，我們全家天天團聚，生活沒有憂慮，妻在國中教書，我也有滿意的工作和收入。從結婚開始，有過幾年住在台北市，之後全家搬回新竹縣竹東鎮；這是個非常純樸，幽美的故鄉，山明水秀，真正好山好水，前後住了二十多年，別說周圍有大群親友、同學、鄰居、同事們；連家鄉那裏所有大街、小巷、幾棵大樹、草叢……我都熟悉得很。馬上要拋棄職業，離開家園、親友，不知何年何月才能回來。而且到那塊完全陌生的新大陸，一切要重新開始，俗話說萬事起頭難，自己不知能不能如願克服各種艱難？這時，我才開始有些清醒與憂慮，心裏的確七上八下，連夜晚睡覺也不安起來，不過，我仍然沒有打退堂鼓的意念，心想即使有別離之情，誰都難免，但爲子孫後代找個長久安身立命的地方比什麼都重要，既然別人能在那兒住下去，我爲何不能呢？果然，我把心一橫，就不去想那麼多了，還是向前衝吧？衝向我們平時夢寐以求的新大陸——美利堅合眾國——那一大片沙漠，樹林和原野的偉大國家。

這時，妻的考慮和愛心更具體、更務實；她終於勸說：你第一次去洛杉機，那裏沒有熟人接機，英語的聽力與會話又不太好，提著笨重行李，擁擠在一大群陌生人中，我實在不放心，不如延期出發，等到孩子們放假一塊兒去；不然，也可以請旅行社朋友找個那邊的熟人接機，安頓你一陣……。妻三番兩次提供這樣的意見，同時心裏七上八下，怎麼也不放心讓我單獨先去闖蕩，這一點她以前沒有提過，也許是她看我馬上要離家，忽然清醒後才領悟出來的吧？

出境日期一天一天迫近，情況不允許再拖延，我幾乎不分晝夜在傾聽英語唱片，獨自苦練英語會話，簡直比以前任何學校考試都要認真和專心，心知此行關係重大，不僅影響個人名譽，金錢與事業的成敗，也會牽連整個家庭成員，尤其對剛讀完小學的兒女，也要去那塊生疏環境適應和磨練，誓必會碰到無數意料不到的挫折，而入境問俗，首當其衝是語言的溝通，倘若像個啞巴、聾子和瞎子，衝不破語言障礙，那麼，天資再聰明，學經歷再優越，也會像英雄無用武之地，吃盡苦頭，考慮再三，我不論怎樣都得拼命復習略有基礎的英語，這樣才能壯膽，才有勇氣。由於英語能力日有進步，我才逐漸沈著下來，思考對策。一天傍晚，我這樣安慰妻兒，說道：

「我若連這個膽識，和應變能力都沒有，乾脆別去算啦！這麼多年，我計劃讓孩子去美國讀書，自己也約略有些心理準備，如果計劃成了泡影，我可不甘心。現在不妨做最不好的打算，讓我先去待上一個多月，看看情況怎麼樣，果真發現一切都不如意料，實在混不下去的話，我才會死了這條心，也不想繼續留在那裏，一定攜帶行李回來，從此大家就打消美國夢，心甘情願住在台灣好了。」

妻聽我這麼說，才勉強同意我可以按照既定的日期起程，於是，我們開始做各項準備了。

正在忙碌出國的日子裏，事有湊巧，某天傾盆大雨，傍晚時刻來到，濃霧蔽天，感覺好像快要天黑的樣子，我正在客廳專心聽英語唱片，手上翻著英語對話書，自言自語，想像自己正置身在美國的人群中，努力做出各樣起程前的準備。這時，忽見門外來一輛淺紅色計程車，我不禁十分納悶，心想這輛車一定看錯了門牌，找錯了住家；須臾間，車裏走出一個中年男士，穿白襯衫，藍色長褲，手上提著一籃黃瓜和一包蓮霧，毫不猶豫跨入我的家門，我好奇之餘，仔細一瞧，忍不住哇！地一聲叫了出來，「徐省仁，你怎麼這個時候來呢？難得！難得！」

徐省仁是我的高中同學，也是我以前老家的鄰居，學生時代大家相處很融洽，無話不談，他的功課平平，不挺愛讀書，只是他長得非常英俊，身高馬大，也蠻有人緣。高中畢業後，他沒去參加大學聯考，就自動提前入伍，空軍三年服役期滿，回家不到半個月，幸蒙一位遠親介紹，很順利到台北一家著名的國際大飯店上班，聽說收入頗豐，幾次在偶然的機會相遇，都曾目睹他西裝筆挺，領帶顏色非常鮮明，不是純紅色，便是純綠色，手提著〇〇七皮箱，相當氣派，儼然一位公司的高級主管。

他結婚時，宴請兩桌高中的同學死黨，我也是其中之一，他的妻子聽說在台北市立銀行上班。幾年後，他們也有了兒女，生活很美滿。不過，好幾年來，各忙各的事，不太常聯絡，卻也沒有沖淡彼此多年深厚的友誼。而今看他冒著大雨，搭計程車來訪，當然讓我既吃驚又歡喜，竭誠走前拉住他的手，將他手上的提箱取下，放在客廳茶几上。只見他脫下淺藍色西裝，順便放在手提箱旁邊，笑著說道：

「我平時沒空來看你，今天早上到關西辦一點事，下午在那邊吃過飯，既然來到關西，忽然想起你搬來了竹東，我想，你的地址可能沒有變，才特地搭計程車來看你，幸好你在家，一路上很怕你家裏沒人在，現在尚未到下班時刻。」

我們情不自禁伸出手來，緊緊相握一下，又聽他說道：

「唉！還是你們在教育界比較優閒，寒暑假很長，不像我在大飯店工作，難得有休假曰，即使想休假，也得看老闆臉色，和作業狀況。」

「那有什麼不好？教書賺錢沒你們多……。」我笑著說。

徐省仁搖搖手，沒作聲，反而換一個話題問說：

「怎麼！兩個孩子多大啦？都在唸國中？」

這時，我想沒有隱藏的必要，況且他也算知友之一，原本打算在起程前幾天，到台北向父母親辭行時，要繞道他家向他夫婦招呼一下，而今碰巧他親自上門，我就坦率說要去美國了，但可沒有透露詳細計劃。誰知他一聽完我的話，出奇地點點頭，卻默不出聲。半晌，才聽他滿臉嚴肅的表情，瞪著一雙大眼睛問我說道：

「你去那裏幹嗎？」

老實說，所有親友知悉我們夫婦即將拋棄眼前一切，都提出相同的疑問，我的答覆因人而異，視彼此的情誼親疏，和對方的教養程度與身份，而做出大同小異的說明，但也都不忘把自己對台灣社會多年來的埋怨，批評和譏笑等侃侃的傾吐出來，例如憎厭白色恐怖，孩子們的升學壓力，社會價值觀的扭曲，賂選歪風的漫延等，都是被我批判最猛烈的項目。現在聽到老同學這樣一問，我毫不隱瞞將以上內容稍微詳述一番，尤其把重點放在孩子的求學環境。我想，他的孩子也跟我的孩子差不多年歲，俗話說天下父母心，誰不期盼子女成龍作鳳，遠遠超越自己的成就，依我猜測，我這樣答覆必能引起他的共鳴，想必對我大膽的選擇會鼓勵與喝彩一番。事實上，徐省仁的看法頗出我的意料，可以說極力反對我去美國的計劃，他很誠懇勸阻我放棄，他這樣說道：

「我們都快要半百的年紀，難得你還有這樣的雄心，何況你們現在生活很舒服，工作又好，應該一動不如一靜。何必去那裏吃苦頭呀！一枝草，一點露，孩子以後自有他們的生存之道，你替他們想得那麼遠，付出那麼多心血幹嗎？我看你們算了吧！美國，不好混喔！我在大飯店的國外消息最靈通，接觸過許多美國來的觀光客和商人，也有台灣去美國回來的同事，一聊起美國的情形，大家都覺得台灣好，台灣最舒服哩！」

這時，我反覆強調自己的觀點正確，幾次表示要用堅強的意志實踐計劃，上學期就已經向學校和同事們透露這個訊息，明確表示下學期不再來上課，打算去美國闖天下，無論如何，現在的我好像覆水難收，非去美國不可，大丈夫一言既出，駟馬也難追呀！

徐省仁看到我的態度和意志這樣堅定，知道我一切都早有安排，多說無用，也就軟化了，剛才執意勸阻我的心意，便改換另一種溫和與冷靜的語氣，問我第一站準備去那裏？有沒有熟人或朋友在那兒接待？去到後想做什麼事業？對出外人來說，這些問題無疑是非常迫切和需要解決的大事，絕對不能等閒，何況第一次踏出國門，既無旅行社做導遊，身上所帶的錢也不會太多，因爲徐省仁約略知曉我的經濟狀況中等而已，當時台灣正逢經濟不景氣，房地產非常滯銷，銀行有許多現款的人並不多，何況我們夫妻也只是教師，只能算生活安定，根本談不上富裕……。

「那裏一個朋友或熟人也沒有，我正在發愁哩！聽說南加州天氣一年四季都極好，我想先去那裏落腳，之後再看情形，走一步，算一步。」我苦笑回答。

「真的？你膽量不小。」徐省仁滿臉疑惑的樣子，語氣有些吃驚。

片刻後，徐省仁忽然若有所思，上下嘴唇翻咬不停，同時從座位上起立，單手捧著茶杯，鏗鏘有聲地說道：

「有啦！我想對你肯定有幫助，你的運氣還算不錯，因爲我有一位知己朋友也住在洛杉磯，聽說他在經營汽車旅館，英語叫做 Motel，其實，我也不懂汽車旅館是什麼？好像二十四小時開放，讓客人隨時進進出出……他每次回台灣都會來找我，說他幹這一行挺不錯，每個月東除西扣以後，也還有十多萬台幣剩餘。好幾次都回來邀我去，我可沒有興趣，聽他那麼說，我知道美國不好混。他英文名叫彼得，中文名叫古光明，但是，大家平時習慣叫他彼得，從台灣飯店工作開始就這樣叫慣了。他是美濃客家人，極有江湖義氣，懂得拳腳工夫，喜歡當老大……前後也去了十幾年，事業基礎應該穩固啦！不過，他太太和兩個最小的孩子前年才去，還有老大和老二兩個男孩，由於兵役問題不能出境，目前仍在美濃老家陪伴老祖母……我跟他們私交極好，一則在那家大飯店服務時，只有我倆是客家人，交情自然比較親密些，二則我曾經幫過他的忙……。」

徐省仁一口氣說到這裏，聽得我心花怒放，不待他說下去，馬上急著問他，說道：

「你幫過他什麼忙呢？」

「在他出國前幾天，我們有七、八位同事在餐廳給他送行，祝他一帆風順，期間，他坦述有一位老母親住在美濃，但太太陪著四個兒女住在中壢，太太沒有上班，全心全力照顧子女，他去了美國，每個月會滙一筆錢回家，不過，如果中壢家裏臨時有什麼急難，請大家務必幫他些忙，日後回國一定不忘報恩……在場幾人連聲說『好』、『一定沒有問題』、『你放心吧！』只有平時跟他最友好的我，反而默不出聲，既沒有爽快允諾，但也沒拒絕……後來，彼得去了幾個月後，居然連一毛錢也沒滙回家。有一天，古太太繳會費沒錢，情急之下，馬上打電話向那群老同事求救，也就是口口聲聲說『沒問題』、『你放心』那幾位，誰知現在沒有一個理會她，害得古太太急得團團轉，我聽到這消息，一下班就騎著機車送錢到中壢給她。那時，古太太含著激動的淚水，向我千恩萬謝……當然。古太太也把事情經過告訴彼得。彼得聽到後，立刻從洛杉磯打電話向我道謝，同時邀我去他那裏，一定會幫我解決職業問題，生活可放心，但是，我再三婉拒他的好意，表示我的客觀情況不允許幾年內根本不可能出國……現在，我若介紹你去，他不但會熱心接待你，協助你，而且他也有能力支援你，尤其會到洛衫磯機場去接你，他絕對不會推辭。我從來沒有求過他什麼事，我知道他的脾氣，他會把你的問題，當做我的問題，你的困難，即是我的困難……。」

意外的佳音，好像冥冥中的安排，讓我喜不自禁，我忘了連續說出幾聲謝謝，同時，央求徐省仁回到台北後，迅速先搖電話給彼得，試探他的口氣，倘若一切能像徐省仁的預料，那對我的幫忙實在太大了，古人說：「在家靠父母，出外靠朋友。」我終於受用了這句話。

「一切拜託你啦！」

徐省仁告辭時，我一面慎重這樣說，一面陪他慢慢走向竹東汽車站，準備讓他坐新竹客運經龍潭，轉往中壢，再搭火車回台北。

第二天夜晚約十二點鐘，萬籟俱寂，窗外的竹林和相思樹林中，傳來陣陣的蟲叫聲，一般人都快要進入夢鄉，尤其，我們鄰居都是上班族，據說都怕夜晚睡眠不足，而影響白天工作情緒，通常會在十一點左右就寢。最近三個月，我的作息時刻逐漸失序，雖然學校還沒有放假，但是，我的課幾乎都被排在下午，平時不必參加升降旗典禮，早上不必急著趕時間，反而可以利用夜闌人靜看書寫作，而今我已將全副精力和課餘時間放在英語上了。當我正要收拾唱片機，和桌上的東西，準備上床時，乍聽樓下電話聲傳來，我心中一震，暗忖是徐省仁的電話無疑，匆匆走到樓下，拿起電話筒一聽，果然沒錯，正是徐省仁的聲音：

「老劉！睡了沒有？雖然現在是台灣的深夜，卻是美國西部時間清晨；我想，你應該知道的，我剛剛跟彼得通了電話，他說什麼都沒問題，只要先把航空公司，班次，時刻都通知他，他一定會到機場接你，在你一切還沒有就緒，也就是沒有找到工作以前，他務必會好好照顧你，難得他二話不說，就馬上答應了。」

「好極了，陳省仁，我非常謝謝你。」我興奮極了，不自覺把聲音提高了一些。

「這樣看，我也放心啦！以後有什麼問題要幫忙，隨時通知我，若打電話到飯店來，我不在，請同事轉達也不妨，他們都是我的好朋友，好啦！你放心睡覺吧！」

不待我回話，他好心地自己掛掉電話了。

這一晚，我睡得特別舒適，當然是心裏沒有掛礙的緣故，剛才的電話聲和談話，把正在熟睡中的妻給吵醒了。我自然把好消息告訴她，讓她分享我的喜悅，夫妻一體，福禍相共，我的事也等於她的事，難道不是嗎？

感覺上，以後的時光過得特別快，好像溜滑梯走一般迅速；眼見離開故居，和陪伴妻兒，安享天倫的日子愈來愈少，反而覺得特別依戀，特別難捨，佛家所謂執著，意指世人對五欲與心愛者的執迷不捨，恐怕就是這種情狀吧？

我不斷尋思，也暗自估計，此次去美國極可能十年之內不會回來，最主要的原因是，到了美國要面對的難題一大堆，例如調整身份，工作安定，兒女教育……等，都是毫無把握能夠克服的迫切課題，只好去了再說，一切看著辦，一想到此，那些身邊好幾位年近古稀的長輩，也許今後再也見不到了。回想他（她）們以前對自己有過愛顧，和提攜的大恩，多年來耿耿在自己心中。按情理上說，應該趁機去向他（她）們辭行，打一下招呼才對，尤其年邁的父母跟弟弟一家都住在台北，我更該去那裏陪伴一陣子，極力安慰兩老依依難過的心，勸導老人家放下一萬個心，我們不會有問題的，一旦發覺情況不對，或評估自己實在混不下去時，那麼我一定會回來，絕不依靠別人，不會有所謂「近鄉情怯」，混不下去，沒有面子回家的沮喪感。

結果，父母親聽了才放心，同時勸我說，一定要等職業有了著落，收入可以維持生活，在不吃老本的情況下，才能把家眷接過去，千萬不得魯莽，不要幹糊塗事，自己年將半百，一對兒女還在讀中學……。

附帶說幾句話，十幾年前，我在東京結織一位日本好友籐原先生，他跟我非常投緣，不但當初我旅居東瀛期間，雙方有過蜜切的來往，經常到他家，或在喫茶店促膝長談，欲罷不能，而建立深厚的友誼，且在我返國經商，往來日、台時期，每次去東京都在他家住了幾個月，蒙受他夫婦熱心招待，平常也有書信與電話問候，只要在家庭上，事業上發生重大變故，我都會讓籐原夫婦知曉：毋寧說，我們都彼此關懷，互相問訊，而今我要去美國闖蕩，對個人、家庭、兒女和人生前途，都是極不尋常的變化，當然，我也不能不讓他們知曉。那麼，與其寫長信和國際電話向他解說，或向他辭行，都極不適當，也極不方便，事實上，更說不太清楚。再三考慮之後，我便調整直飛洛衫磯的行程，打算經由東京，之後可以任意選擇日期，再飛美國洛衫磯。妻也同意我這項計劃，並催促我早日起程。

通常，台灣學校都在七月初，或中旬開始放暑假，我授課那所私立工專，則特別通融我，只要能請到適當老師代課，就能提前放行，方便我辭職，提早在放假前離去。當然，這一切事先都安排妥善，對大家都不會造成困擾，我終於在四月初成行，搭乘國泰航空在一個清爽的中午，涼風習習中抵達日本成田機場了。

記憶裏，我在東京藤原友人家裏待了六天，大家談話充滿回憶味，非常愉快，期間，我從藤原家打電話給彼得，講好何日何時搭乘那家航空班機到達洛衫磯，千萬央求他能前來接機，同時講明我的身高，西裝和領帶顏色、年紀、戴金絲邊眼鏡，特別強調手上還握一條紅毛巾，一定方便他辦認。

環視左右，那架班機內坐滿旅客，西洋人佔絕大多數，依我猜，可能美國人比較多吧？因爲飛航終點是洛衫磯，出差回國是挺自然的事，這是我當時的幼稚推測，回想起來真不好意思。

午後三點左右，班機比原訂時刻晚了十五分鐘到達洛衫磯國際機場，步出機艙，跟隨旅客們走過移民檢查台，一切ＯＫ，才去取行李，之後趕緊從手提箱中取出預藏的紅毛巾，使勁兒推著兩大箱行李，蹣跚步伐，邊走邊想，萬一彼得失約，怎麼辦？其實，這是杞人憂天，九成九以上不可能，前幾天不是雙方在電話中說得明明白白，斬釘斷鐵般肯定了嗎？彼得不會不來的吧……。即使他有意外不能來，我身上也有他家電話和地址，到時候打電話也不會有問題啊！

旅客們三五成群，幾乎全都大包小包，或手提或推行李車，我擁擠在旅客群中，東張西望，好像想看些什麼，不覺得走近候客室，對面全是一張張陌生面孔，有東方人、西洋人、黑人、棕色面貌的南美洲人，哇！果然是世界民族大熔爐的表相，刹那間，我生起一種讚嘆、好奇和惆悵感。

說時遲、那時快，當我雙腳剛剛跨出那條高及胸膛，阻擋接機客闖進的布條分界線時，目睹一對中年男女，身材中等的東方人微笑迎向我來，只聽那位女人向我說道：

「你是劉先生吧！」

我一聽，喜不自勝，馬上答道：「是的，你們是古先生，古太太吧！」

對方異口同聲回答說道：「是，是。」同時，彼得又立刻問我說道：「坐飛機辛苦嗎？從東京飛來也蠻遠，少說十個小時吧？」

我點點頭稱是，彼得的身體果然蠻結實。看來四十出頭，臉色曬得彷彿墨裔族群一樣，可知這裏的陽光馳名全球，不是虛有其名。我發現彼得的頭上意外長出不少白髮，跟他年齡不相稱，但見他手腳相當敏捷，而且力氣不小，一伸手就搶過我的手提箱，從左手交到右手上，再伸左掌抓住行李車上的皮箱，簡短地向我說一句：「跟我來！」

不待我回答和發問，他們夫婦動作都蠻快，沒有徵求我的同意，就把我的行李紛紛取下，拖著往大門外走。一路上步伐迅速，我除了身上有背包外，雙手也不輕鬆，儘可能提些小包裹，跟隨他們穿過馬路，絲毫不敢怠慢。半晌，我們來到一輛淺藍色的驕車前，彼得迅速掀開後車蓋，看他不怎麼用力，就輕易將所有行李幫我放進去。後艙裝得滿滿，幾個小包裹待打開車門後，也分別放進了後座，前後不到三分鐘，我們都放好行李，上了車坐好啦！

在台灣，從學生時代上英文課起，授課教師三不五時會透露些美國社會的情況和美國人的習俗，例如時間即是金錢，大家忙碌，分秒必爭，誰也不肯做那些不切實際，沒錢可賺的閒事，包括無謂應酬，閒言閒語，和無意義的爭執。果真如此，那麼，像彼得夫婦肯定在百忙中，純受朋友之託，毅然放下自己手上的作業，放棄許多錢沒賺到，從老遠開車來迎接從未見面的非親非故的陌生客，這種古道熱腸的確讓我感動，和敬佩。

座車離開了洛杉磯機場，左彎右拐，高低起伏，經過一條地下道，穿越幾條鬧街，兩邊高樓大廈，雖然不是挺密集，但接二連三呈現在眼前，我當然不肯放過觀望，果然，顯露出大都會的宏偉氣象，跟東京街頭充滿東方情調的景色，有完全不同的風貌和氣派，哦！這就是美國的洛杉磯市，我早從國中時代，外國地理課本上，就已經熟知它是美國西海岸，跟著舊金山，西雅圖分別排到的三個大都會。

在座車裏，我們一路上輕鬆地談論著，先談徐省仁的近況，接著談到台灣社會的百病叢生，政治人物的流言蜚語，學校教育的落伍……等，至此我發現彼得夫婦果如徐省仁所說，具有十分的江湖義氣，直腸直肚，脾氣剛烈，頗似一對英雄俠女，也是典型客家人的夫妻。

當車子從一條不怎麼熱鬧的街道，忽然左轉到另一條街，乍見兩旁的建築與來往車輛，顯然不太一樣，只聽彼得太太從前座回頭對我說道：

「這裏是大名頂頂的好萊塢，卻不是什麼高級區，如果晚上出來走路，肯定會碰到阻街女郎（風塵女子），我們剛到洛衫磯，也曾經在這兒待過……。」

乍聽之下，我不由得仔細朝兩邊觀望又觀望，企圖看出什麼特色，因爲好萊塢的名聲，如雷貫耳，實在太響亮了，可惜，半個時辰過去，我卻十分失望，別說街道，建築，店面等毫不起眼，連路上行人，商店招牌和來往車輛……反而非常遜色，比起剛剛離開國際機場那幾條街道差得多哩，我不禁納悶：「不過如此，虛有其名而已！」

一路上，我爲了知曉答案就抓住機會向彼得夫婦請教，什麼叫汽車旅館？到底跟台灣一般旅館有什麼兩樣？那種生意怎麼做法？又以什麼樣客人爲主呢？彼得簡單地回答說，那要二十四小時營業，營業方針和做法，先要看什麼區？來往什麼樣的人？以他目前經營的窮人區旅館來說，都出租給過路旅客，和無家可歸的流浪漢。後者租不起房間，身上有多少錢，便住多少天？所以，以週租與日租爲主。別看美國人幾乎都有車，甚至有些家庭擁有好幾部，但沒工作的人也有一大群，窮苦家庭多得是……彼得現在這間旅館地點，竟然座落在黑人區的中心……這一點連他的好友徐省仁也不知曉，因爲生活在黑人區必須有不尋常的膽量，和幾套手腳功夫，而這些都是我以後才知曉的……。

座車終於開進一家汽車旅館，在經理室的窗前停下，不消說，這就是彼得夫婦經營和居住的旅館了。我一跨出車門，太陽的餘暉，顯得特別可愛，令人覺得很柔和，頓使我的緊迫與倦怠感減低一些。放眼四顧，立刻發現大門前掛著一塊大招牌：

「Sukist Motel」，停車場不小，都是一層樓房，這時有兩個黑人漢子站在房門前，好奇似望著我們，說話聲音聽不清楚，其實，我也聽不懂，猜不出……。

彼得夫婦一走出車門，忙著幫我拿出行李，和大包小包的塑膠袋禮物，這些都是東京藤原夫婦的贈物，我打算給彼得家庭當見面禮物，徐省仁告訴過我，彼得目前有一男一女在身邊，正在上中學。

只見彼得走近一個小窗口，連續向裏面叫幾聲：「老林，老林，開門！」我突然發現這個窗口玻璃很特別，外面的人看不到裏面，彷彿一塊塗上顏色的玻璃板，深綠色，長方形，窗口兩邊有鐵欄杆，顯然要防止外人襲擊，或任何破壞，面向窗口的左側，大約五公尺距離有一扇深黑色的鐵門緊閉著，鐵門的樣子和設計也跟我在台灣所見不一樣，每根鐵條的排列相當密集，也很粗壯……看到這些，我不禁納悶：「怎麼連小窗口和房門都要裝鐵欄干，倒像一座監牢哩！」

儘管彼得大聲叫著，裏面都寂然無聲，好像沒人在；接著，彼得太太也幫腔，連續叫喊兩聲：「老林！老林！」

仍然沒聽到任何答腔，只見彼得伸手敲打窗前凸出那塊木板，繼續大聲叫嚷：

「老林，起來吧！快開門！」

這樣連叫三次，連彼得太太也站在鐵門前幫腔，同時叫喊：「老林！老林！」

半晌，才好不容易聽到房內傳出極緩慢，低沈的男人聲音：「哦！我來開門」，這是一句閩南話，可知裏面是個台灣人。

我不禁暗想：「怎麼現在大白天還在睡覺？在美國，不是說大家都很忙嗎？他怎麼有這種閒情逸緻呢？」

片刻後，果然鐵門輕輕一開，從裏面走出一個中年男人，身材魁武，嘴邊蓄留八字鬚，睡眼惺忪，穿一條白背心，和黃色短褲，腳底拖著一雙綠色塑膠鞋，看樣子好像剛剛醒來，意識還不太清楚，也許他以爲在做夢哩！

從此以後，我就住在這間汽車旅館，跟隨彼得家人和這個台南來的中年漢子，一齊學習如何經營旅館？如何應付客人？怎樣修理隨時會被客人損壞的各種器物——窗戶、房門、廁所、洗臉台、床舖、桌椅、電視、冷氣機……等一切家庭用物？而這些作業都不是我在台灣所能想像得到的，也根本不曾親身摸過的，連徐省仁在內，也肯定不明白汽車旅館的作業如此瑣碎，麻煩和奇怪，根本不像他服務那間國際大飯店的工作性質；簡單說，完全出乎我的意料，反正既來之，則安之，慢慢學習吧！走一步，看一步，不去幻想那麼多了。

經過彼得正式介紹，始知這位嘴邊留著八字鬍的中年男人，平日只稱他老林，至於真實名字，我一直不知道，也不方便探詢，因為大家入境隨俗，習慣有個英文名字，例如麥克、史蒂芬、查理等，屬於比較常用的男人稱呼，女性多半叫做南茜、德雷莎、安妮……等；倘若華人不取英文名，也只稱姓，而不叫名字，尤其許多台灣人好像有自衛或防備心理，始終不願洩露自己的真實名字，而老林應該屬於這一類的人物，為了安全的顧慮，一直有意無意隱藏自己的名字，我明白他的意思，故在以後幾乎半年相處的日子裏，始終不向他探詢，免得他為難與尷尬。

不久，彼得太太私下向我透露，老林其實僅比我早十個多月到美國，原來他有一位中學同學叫老黃，把老林送到這裏，央請彼得收留和僱用，講好月薪三百元美金，並提供吃住，不扣他的稅，因為他沒有居留身份，當初以業務考察名義，合法進入美國，六個月過期不肯離境，就變成非法居留，既不能在美國境內做任何工作，也要隨時提防移民局派人來捉，所以彼得肯收留與僱用他，還算看在老黃的面子，和同是台灣鄉親，血濃於水這一點情份上。

然而，老林的工作並不輕鬆，每天作業二十四小時，一年三百六十五天沒有假日，除非生病或有急事必須親自去處理，其實，後者幾乎沒有，那麼，他必須整年，整月和整天待在旅館內，負責打掃二十個房間，二十四小時之內，客人進出非常有流動性，深夜任何時刻都可能有客人退房或離去，那麼，老林也得趕快出來打掃房間、廁所、換床單、吸地氈、換毛巾、牙膏、肥皂、浴室及玻璃整理，幾乎難得空閒，只有等到週末與例假日，彼得兩個上中學的兒女過來幫忙，讓老林可以輕鬆一些。其餘時間，老林可說馬不停蹄，既得負責上述作業，也得抓緊時間睡覺，才能補充體力和精神，即使這樣，長期下來，鐵打的漢子也吃不消，難怪老林任何時刻都呈現一副疲憊不堪，半睡半醒的樣子。

只不過剛來三兩天，我就不止一次聽到彼得夫婦，向我耳提面命，再三強調洛杉磯的治安很特別，跟東部紐約、芝加哥等大城市一樣，不算挺好，但又不能一概而論，應該要看什麼區域。每個區域的條件與情況差別懸殊，好的極好，壞的極壞，而所謂好與壞。首先指當地的居住素質，也意謂什麼族群，可以代表那些水準，僅就這一點而言，洛杉磯的族裔大體上分成白人區、墨裔區、黑人區、日裔區、越裔區、華人區和諸族裔的混合區。一般來說，純白人區最高級，治安最好，反之，純黑人區最低級，治安最差勁，其他區域則充份呈現該族群的文化特色，治安還算可以。這只是大體上的分類和表相。

不久也聽說黑人區的情狀，很像蠻荒地帶，不論白天晚上，殺人搶劫的事件層出不窮，尤其外族裔的家庭、店舖、公司和加油站，別說位在黑人區很危險，即使靠近黑人區，平時容易讓黑人進來，也很不平靜、偷、搶、殺和強姦等事，時有所聞，不巧的是，彼得這家 Sumkist Motel 正好座落於黑人區的中央地帶，也是兩條大馬路——印派利街與貴格勒街——交叉口，四周十幾公里範圍以內，幾乎都是黑人住宅和商店，偶而混雜窮困的墨裔，和零星的韓裔雜貨店。那麼，這裏治安之惡劣，也就可想而知。這方面的具體情狀，不但後來從彼得夫婦和老林口中陸陸續續聽到，而且自己也身歷其境，充份領略到了。

彼得說，這家汽車旅館相當破舊，建築物有六十年的悠久歷史，二十個房間呈英文L字型，車輛要從招牌旁那個開口進來，出口放在另一個方位，任何一個進出口都無法讓兩輛車同時出入，設計蠻方便，屋頂舖著奇怪的黃色石棉瓦，我在台灣絕對沒有見過這樣的屋頂。其中，有十二個房間靠著大馬路，街道上川流不息的車輛聲音，會不分晝夜穿牆進入房間。我想，除非身體疲憊不得了，不躺在床上就能呼呼大睡，否則，這種簡陋低俗的房間很難讓人入眠，遑論能讓客人有賓至如歸的感覺了，尤其令人難以置信的是，每個房間竟然沒有隔音設備，隔壁房間若有任何聲響，也能聽得一清二楚，真是非常不雅觀，不舒服。房內的窗戶、廁所、浴室、床鋪、或桌椅、煙灰盒……，眼睛所能看到的一切存在，別說沒有一項是新的、完整的；毋寧說，全部殘缺不全，不妨用「窩囊」、「潦倒」、「狼狽」……字眼來形容才恰當。記憶裏，半個世紀前，我在新竹縣竹東鎮居住時，隔壁有一家專供原住民住宿的旅社，其設備、格局和器具等，都要比這裏優雅多啦；如果不是我親眼目睹，每天都要身歷其境，協助老林打掃和整理，絕對不相信心目中遍地黃金、全世界什麼都拿第一的美國，居然還有如此格調的存在物，若說給故鄉人聽到，肯定也會令他們嘖嘖說道：「奇怪」、「真的嗎？」

我幾次問過彼得和老林，為何所有設備和器物用具都這樣低劣，窩囊呢？二十個房間所有窗戶的完整玻璃恐怕不到十分之一，有些窗戶甚至掛上木板或硬紙板，稍微裝上鐵釘嵌住，不讓它掉落而已，粗糙到這種程度，豈止讓人匪夷所思而已？我有時反覆尋思，住宿費十八元，一週要價一百美金，依台幣價值和美國起碼工資計算，價格也不算便宜哩！供應這種條件的房間，未免太對不起客人，也太狠心了吧！反過來說，這裏的黑人怎麼那樣好侍候，好欺負呢？我幾回思考之後，忽然大徹大悟了。在台灣，有人說：「有怎樣的政府，就有怎樣的百姓；有怎樣的百姓，就有怎樣的政府。」同理，「有怎樣的區域，和怎樣的房間，自然也有怎樣的客人……」。反過來說也一樣，可見這種房間和設備條件，所以能在這個區域存在，不外是針對著黑人族群，完全適合他（她）們的需要條件，品質和水準呀！

彼得和老林給我的答覆，也完全證明我的推理與結論是正確的，彼得說，只要有一條新毛巾、新煙灰缸、新毛氈……或任何一樣新東西，最多只能保留或存在一兩天，以前剛剛接收這家旅館時，也曾經覺得以前的經營者太吝嗇、太苛薄、自己看不過去，也想改變作風，於是一下子統統換新的，除了棉被、毛氈和電視等比較值錢的東西，打算待一段日子再更換，他們想這樣必能提高營業額，讓客人高興一些；誰知那些新東西不到幾天幾乎全部被偷掉，被破壞光了，月底一結算，第一個月就虧損一大筆，害得彼得夫妻倆，心疼不已，埋怨不停。

彼得有了這種痛苦經驗之後，只好依循前位經理的作風，不能缺少，卻可以用爛貨，只要有就行，至於其他一切擺設也按照這項原則，反正這樣地區和旅館只能收留這類客人——其他族裔的客人，一年難得十個人上門；雖然是惡性循環，卻也是這間旅館的惟一生存之道。

每個房間都彌漫一種說不出的難聞怪味，一踏入房門，簡直會令人嘔吐；彼得和老林都說是黑人身上特有的體臭，依我看，倒有一點像生物腐爛後所發出的臭氣。起初，我以爲它來自浴室和廁所的不乾淨或從什麼發黴的食物中發出來的，經過仔細檢查之後，卻也沒有發現這些可能性。總之，這家旅館房間的特殊怪味，給我留下十分惡劣的印象，不知是不是其他所有黑人區旅館都有呢？我沒有去打聽，不敢妄自猜測。

二十個房間之外，還有一間經理室也連在一起，就是緊緊結鄰其中一個房間，所以，每次出租這間房時，我們都要特別謹愼，憑平時接觸客人的經驗來判斷，必須是好客人才能給，否則，寧可空著不租，因爲壞客人在隔壁會吵到我們經理室，尤其，深更半夜不安靜會煩死人，必會能讓我們整夜不能入眠。

經理房包括兩間臥室，一廚一廁和一間小客廳。經理房的鐵門廿四小時緊閉，任何人進出都隨身帶鑰匙，且跨出門檻，或進來打開鐵門之際，千萬要特別小心，務必左顧右盼一下，看看有無歹徒趁機偷襲？搶走鑰匙闖進來？據說美國家庭都擁有槍彈也不犯法，倣效拓荒者當年孤軍奮戰印第安人的英勇傳統；同樣地，歹徒也能擁槍自重，作姦犯科，這一來，歹徒奪槍闖進民宅勒索或搶錢也時有所聞，在黑人區只要有現金收支的商務場所，尤其最常發生這種悲劇。

經理房間內都有窗戶，不但全部裝設鐵欄杆，而且玻璃很特別，從外面看不見室內的動靜，從室內看外面卻能瞭如指掌，又是極厚的防彈玻璃，當然旨在自衛和安全。

客廳位置適中，從窗口可以看到整個停車場，和進入的車輛及行人，方便經營者掌握全局。一旦發現有可疑車輛或人物進來，馬上得提高警覺，我不禁非常敬佩這位建築師的聰明設計，設想真週到。

彼得家庭四個人，加上老林和我，共計六個人擠在經理室，活動空間相當有限；剛來那幾天，彼得家人全都擠在一間臥房，另一間給我私用，而老林以客廳沙發做床鋪，不論白天夜晚在室內的活動範圍，也只限於客廳和相連那間廚房而已；幸好他懂得「能屈能伸才是大丈夫」的古訓，局限在此，情非得已，當然他也有滿肚子委屈與苦經，因為大家朝夕相處，很快變成莫逆，所謂異國遇鄉親，也算人生最快慰的事。老林所以前來美國的動機，跟我完全相反，毋寧說，他是被迫逃債到這裏，雖說也是有計劃前來，僅就目的性質而言，他住在此非常苦惱，非常沮喪……。

沒有隔多久，大家都混熟了，幾乎無話不談，包括以前的、現在的、未來的、快樂的、傷心的、挫折的、憎恨的……窮則變、變則通，這樣坦率談話無疑是離鄉背景、潦倒困境下最好的娛樂，可得最開心的效果，我是始料未及，也幸好靠這樣才能解除思鄉念故的沈重愁悶。

彼得透露自己的往事中，最得意的是，他十幾年前獨闖美國的各種英勇與艱險事蹟，乍聽下，不僅讓大家無限感慨，驚異和敬佩，我想連他的妻兒也有這番情緒吧？

這對於剛來美國的我，和稍早幾個月來的老林，有非常正面的激勵作用，我吃驚和敬佩之餘，也很感激他的好意和照顧。

彼得在國中時代，曾遇到一位江湖拳師指點他學武藝，不但拳腳工夫了得，手臂也孔武有力，自幼在農村長大，從平時幫忙父母農作中鍛練一副強健的體格；而且他也非常聰明，高中畢業後，無意繼續升學，當兵回來就結婚生子，移居桃園市，每天到台北某家國際飯店上班，家庭生活美滿，加上彼得太太美麗賢淑，精明能幹，一家六口充份享受天倫之樂，自然不在話下。

彼得不諱言說，他對台灣政治和社會也頗多不滿，認為長期在那裏待下去沒有前途，尤其，不應該讓後代子孫在那裏受苦受難，所以自己趁年輕力壯和一身膽量，沒有帶多少錢來到美國，決心要在新大陸打天下，開創一番事業，之後把妻兒接來團聚。

彼得到了洛衫磯，選在治安極惡劣的好萊塢落腳，先到華人餐館打工，不久發覺這樣賺錢不多，像他這樣有武功的年輕人，仍覺這種工作太辛苦，不值得繼續幹下去，便改到黑人區的汽車旅打工學習，之後很快進入旅館的經營狀況，熟悉對黑人騷擾、賴帳與搶劫等突發情狀，例如他獨鬥十幾個黑人壯漢的包圍毆打，仍能將他們打得頭破血流，抱頭鼠竄離去。手腳非常敏捷，施展擒拿術奪到黑人的手槍，讓對方落荒而逃，大叫遇到「中國工夫」，再也不敢前來騷亂了。總之，彼得本身具備的強勢條件，在黑人區幹汽車旅館，正是學以致用，如魚得水，雖說也冒著生命危險，隨時會發生三長二短，致使他身上始終佩戴兩把手槍，以防萬一，同時還寫好遺書，交待比較知己的朋友，怎樣處理自己不幸遭到意外後的事情。

大約五年前，彼得單獨來承包這間旅館時，常常有不肖的黑人壯漢來打擾——偷開房間睡覺，在停車場徘徊不去，敲破客人的車輛，威脅上門的常客，有時候躲在經理房門的死角，伺機搶奪客人的錢，或闖入經理房內傷人……諸如此類麻煩，若不能充份控制與剷除，會使旅館根本無法生存，生意做不下去。

據說警察也只是匆匆路過，順便進來繞一圈，意思意思一番，根本不太願意停車或下來多管閒事。在這種情況下，旅館周圍的治安，只有靠經營者自己了。通常華人不太敢插足黑人區的生意，包括汽車旅館、雜貨店、加油站、洗衣店和小型超級市場，除非自己俱足相當的膽識，壯碩的體能或不尋常的機智等。

記得某天晚上，飯後大家坐在客廳沙發上「開講」，一張沙發屬於老林的床鋪，放著枕頭和毛氈；另一張沙發比較狹長些，少說可坐上四、五個人。我坐在老林的沙發床，用他的白枕頭墊背，感覺舒服一些。

驀然地，對面的彼得太太手指我座位左側，有兩個拇指頭大小的破洞，笑著問我說道：「你猜那是什麼破洞？」

我轉頭去注視片刻，之後，納悶地，茫然地搖頭說道：

「不曉得！」

「我說出來，你可別緊張，那是黑鬼從窗外向裏面開槍，留下的子彈口，幸好當時沒人坐在那裏。等彼得也迅速握一把槍跑出去，想找他算帳時，卻連一個鬼影也沒有。」

記得彼得太太說完話，雙肩聳一聳，顫抖了一陣，猶有餘悸。我聽了毛骨悚然，默默點頭，也許她看到我的臉色不對，趕緊安慰我說道：

「那是好久前的事了，當時的確混亂，黑鬼常常深夜躲在暗處或牆邊，伺機溜進經理房搶錢。其實，他開槍的目的，只想先幹掉房內的人，才好進來拿錢，不是有什麼怨恨，一般美國人都蠻單純，黑人也一樣，不記仇也不懷恨，單純搶錢而已。現在，情況好得太多啦！不過，你進出任何房門前，仍要特別小心，必須左看右看，白天晚上也一樣。」

接著，彼得補充說明、語氣既嚴肅又堅定地說道：

「不論白天晚上，最好別到旅館外邊溜躂。自己走在街上，或搭市內車也一樣，要常回頭看，若看見可疑人跟蹤，或者有人不懷好意似地走近，不能客氣，得馬上厲聲呵斥：『你想幹嗎？』這一來，他才不敢動手，至少對方知道你有防備，不是好欺負。」

類似這樣的教導與提醒，彼得夫婦不知對我強調過多少次，爲了自身的安全，我洗耳恭聽之餘，也一直牢記在心。倘若以後妻兒要來，也要將這些話灌輸給他們，這是防身保命的金言玉語，疏忽不得。

生活在黑人區的恐怖與拘束，當然誰也不適應，不習慣，若要生存下去，就必須遵循前人這些血淚般的規條，如臨深淵，如履薄冰。彼得也很坦言所有黑人區的治安都差不多，當然黑人也有好壞，凡是比較有水準和善良的黑人，也不願跟同族群的壞人打交道，他們會想辦法離開，物以類聚，這附近算是壞人 多的地區，自己行動要格外小心。

剛來第二天，我曾好奇，在旅館周邊巡視一圈，只想看看附近的環境。當時，日正當中，午飯吃完不久，路上無人行走，只有車輛來往如過江之鯽，不知前往那裏去？

放眼四盼，旅館背後約五十碼處，居然有一條鐵路經過，這倒是相當罕見的，因爲美國火車只用來載貨，不載人，而且非常難得出現。在間隔一條馬路的建築物都很破舊，連門窗也沒有，院子雜草叢生，一幅沒人整理的悽涼景象，偶而看見蓬頭垢面的黑人小孩、和墨裔女人、衣裳襤褸、說話很大聲；顯然，這裏是貧民窟，不然，也是相當貧困的社區了，遍地黃金的美國大都會，怎會還有如此落後的住宅呢？八十年代初期，連台灣最普遍的鄉鎮，也恐怕罕見這樣窩囊的破房子吧？我反覆尋思著。

一天，彼得在餐桌上，大家一邊吃晚飯，一邊高談闊論，偶而也發出爆笑，只聽彼得有感而發，說道：

「我們看美國武打電影，經常有三五成群的白人，攜家帶眷，拖著滿車的傢俱、食物、經過紅蕃地區，婦人小孩全都在車裏，家長騎馬往前衝，再危險也得挺胸保護，引導車子快走；有時，明知前頭或附近有紅蕃埋伏，危機重重，做家長的也不能畏怯，不能後退或躲避。一旦紅蕃包圍過來，他拼著命也要還擊，倘若不幸被射中，車中小孩人都勇敢出來應戰，前仆後繼，努力衝出困境，有時全部都死光了，只剩下馬匹和滿車子東西。在黑人區幹活，就得有這番心理準備，一定不能畏懼、退縮，否則，混不下去……。」

我聽了頻頻點頭，內心卻很五味雜陳，考慮許多，不斷暗忖：除了黑人區，難道不能去白人區或其他族群社區，找別家旅館或其他行業嗎？反正什麼工作都願做，已經來到這裏，什麼身份？面子都不顧：只有活下去最重要，倘若自己活不下去，即使妻兒能來，後果也不堪設想，不來也罷，何況，距離妻兒來的日子，一天天迫近，到底要讓他們來，或不來呢？我開始著急和猶豫了。

距離這家旅館大約一小時車程的長堤市，彼得在那兒經營一家車輛修護兼加油站，在老林還沒來以前，彼得太太負責旅館作業，單獨待在經理房招呼客人，儘量少出鐵門，除非不得已出去打掃房間；她的膽量蠻大，雖然生性溫柔，具有客家女性的勤勞美德，但她對付黑人騷擾也有一套本事，除會大聲叫罵，盡量引人注目，借力使力的絕招以外，也膽敢向黑人漢子面對面，用洋涇邦英語據理力爭，毫不畏怯，甚至得理不饒人，指手劃腳把對方罵得狗血淋頭，知難而退；她私下笑著對我說道：「這是被逼出來的，也是故意裝出來的……不然，要怎麼辦？對付這群黑鬼，根本不必客氣……。」

哇！真是一位女強人，難怪有人稱讚她是一位女俠，威震黑人區的旅館界。

有了老林接班，彼得每天清晨九點半左右，就開車載著一對兒女到長提修護廠與加油站，他們的孩子都在那兒上中學，成績優異，聰明可愛。那裡學區比較好，白人、墨裔和東方人佔大多數，黑人學生成爲點綴性質，反之，旅館附近的學生幾乎全是黑人，只有極少數墨裔學童，學生素質當然很差，遠不如長提市學區，彼得不可能讓兒女在這邊上學，而且怕出危險，尤其他們的女兒在讀國二，長得亭亭玉立，面孔也蠻可愛。

通常，彼得太太正在午前都留在旅館，一則幫忙老林招呼客人，讓他稍微睡一會兒，這是有必要的，因爲晚間起來許多次全由老林負責，還有早上清掃各個房間，雖然大家統統參與，老林也沒閒著，奈何人的精力有限，長期勞累肯定受不了，二則彼得太太負責午餐烹調，十二點左右開另一部車送便當到加油站給彼得，到傍晚下班才一齊回來。

有時候，修車廠生意熱絡，彼得家人會遲至夜晚九點多才回旅館。幸好彼得太太手腳快，技巧熟，女兒從旁協助，不到一個時辰，居然能使餐桌上擺滿好幾樣香噴噴的佳餚。接著，開始一天最開心的時刻，大家吃得津津有味，高興談話之際，讓一天的疲勞，苦悶也都消失無餘了。

我剛到旅館還處在日夜顛倒，時差無法調整的辛苦狀態，歇息片刻後，就不客氣地放心在臥房大睡，直到次日中午才醒過來，期間，連大家進出打掃，和說話的聲響都吵不醒我，長距離飛行的後果，可知有多麼疲憊和辛苦。

之後幾天，除了夜晚由老林獨自負責，白天我也陪著他不外出，一則外邊無事可做，無處可去和無人可訪。二則禮貌上應該幫忙老林清掃房間，認真學習各項旅館作業，例如怎樣招呼客人，更換床單、棉被、毛巾、吸塵，若看到設備器物被破壞，怎樣修理添補?……表面上，好像很簡單，動手不必動腦筋的作業，其實不然，遇到客人找碴，鬧事，打架或爭吵等突發事件的處理，非經過前人指點，和實際應付是絕對不會的，而這些除了彼得夫婦平時點滴透露，熱心指引，我也不斷向老林請教，尤其想分享他來美國的心得經驗，同是天涯淪落人，相逢何必曾相識，我們居然很快成了難兄難弟，肺腑的話逐漸增加，彼此不但吐露在台灣的經歷和家庭狀況。而且計劃今後如何在美國混下去？交換心得，互相切磋打氣，甚至沙盤推演下一步要怎麼走？

老林有高工畢業的學歷，進入社會二十多年，僅能記得幾個英文字，剛來時一句英語不會講，只能負責清掃，疊床舖被和修護，不能勝任其他如窗口作業，和任何需講英語的職務。不過，他很苦幹，很隨和，尤其不計較待遇，才讓彼得答應收留他，當然也看在老黃和鄉情面上，經過彼得夫婦一番教導，慢慢帶他上路，之後，才讓他獨當一面，支撐全局。

原來，老林在台灣經營一間塑膠廠，起初幾年很有賺頭，後來生意走下坡，屋漏偏逢連夜雨，居然被人拖累，倒了兩筆錢，結果負債逃來洛衫磯躲藏，只想先找個棲身處，又有飯吃，還有些零用，就心滿意足，當初，僅作這樣打算，而不敢懷有其他奢望。

治安稍好或高級區，汽車旅館也比較高級，不論環境，設備和房間用具——床鋪、棉被、毛巾、茶杯等都很不錯，當然，客人水準與價錢亦不一樣，真正讓客人有「賓至如歸」。經營者也輕鬆多啦！若是大旅館，作業採輪班和分工制，待遇亦不錯，但是，那裏工作必須說一口流利的英語，老林雖說在彼得這裏學了些經驗，光是英語這一項，他就不能勝任那邊的工作。他縱使後來埋怨彼得給的待遇低，也只能委屈求全，不敢離去。

汽車旅館打工雖然辛苦，工時也太長，自己若無特殊技能，不會說英語，充其量也只能靠勞力謀生，做粗工賺取最起碼的工資，而且必須去華人的機構，偷偷摸摸怕移民局知曉，許多華人也不太敢收留這種沒有居留權的非法之徒。

聽了老林的辛酸與眼前處境，我開始反省了。我除了英語比老林要好些，其他跟老林一樣，甚至有些還比不上他，那就是老林有壯碩的身體，而我卻是文縐縐的瘦弱體格，做粗工的能力遠不如老林的手腳靈活；一想到此，我對前途更加沒有自信，擔憂妻兒來了怎麼生活？雖說不像老林只帶幾十元美金逃來，我稍微有些儲蓄，但依當時四十二塊台幣折換一塊美金的滙率下，東除西扣，所剩也不多，何況洛衫磯的生活費，最起碼也比國內鄉下高過出三、四倍，那麼，全家生活開銷每月最少也得一千五百美金以下，還不包括各項必須的保險費在內。總之，全家生活在這兒困難重重，而且我也毫無信心能夠在短期內突破困境，可以找到合理月薪的事情做，結果就要吃老本了。

若依當時帶來不到十萬美金的所有資產，可以勉強支撐一段日子，但怕坐吃山空，縱使不能找到理想待遇的工作，總能做個小生意，夫妻合作，省吃儉用，維持到兒女完成高中教育，應該不成問題，這是我私下最概略，最樂觀的估計。有時旁觀者清，老林也冷靜替我分析一下，結果跟我的想法相似，這樣才讓我稍微放心些。

彼得夫婦曾經給我出過主意，說極難得全家能夠獲得簽證，那就讓妻兒趁暑假來洛杉磯觀光一趟，之後，在下學期開學以前，大家再一齊商討與思考，若覺得值得留下來，也願像大家一樣刻苦打拼，追求夢想的話，那麼，就留下來奮鬥，否則，高興玩了一趟回去，總算來過一趟美國，知道這裏不是遍地黃金，與其一直在此苦苦掙扎，而看不到一線光明，那麼，就死心踢地打道回國，好好認真在台灣過一輩子，闖美國的大夢，只有留待兒女們自己去落實，去完成吧！

我反覆思考，覺得這項主意蠻合情合理，也蠻務實，不妨暫時接受它，接著，我便決心和認真學習下個步驟了。

在美國打工的人都很清楚，政府爲了保障工人權益，不讓他們任憑雇主剝削與壓迫，就訂立一套最低工資的法律。類似我們這樣只能拿最低工資的粗工，即使找工作順利，並能得到保障，不怕被老闆炒魷魚的話，那般收入也很難養家活口。左思右想，只有幹旅館經理這一行才能存錢，因為能省下房租，沒有休假，沒時間花錢也等於強迫自己存錢，尤其，不必開車外出，省下的油錢與保險費，長期下來亦是一筆大數目。如上述旅館作業的辛苦，待在黑人區旅館缺點更多，一般年輕人待不住，反而容易收容非法打工者；就某方面來說，黑人區汽車旅館既是藏污納垢，也是好漢英雄落腳所在，這是老林經過冷靜觀察與分析的心得，事實正是如此，我後來的日子可以充份證明。

午夜夢迴，偶而想起出國前徐省仁那句話，快要半百年紀的文弱書生，既沒有勞動的訓練與習慣，也沒有能夠謀生的技能，國內學歷在異國派不上用場，更談不上充裕資金，去到美國必定有苦頭吃，你何必執迷要去呢？如今愈想愈有道理，不禁有些自責起來。

既然領悟旅館經理——不一定在黑人區，稍微高級的墨裔區或混合區——這個職位比較能夠插足和勝任，那麼，先在這裏熟悉各種作業經驗，無疑是必要的，有用的，於是，我更死心蹋地聽從彼得夫婦的建議，跟隨老林學習了。除了笨重的修護不太有心得，其餘如對付不守規矩的客人，清掃和整理房間的一切都難不倒我，何況我的英語能力比老林好太多，不過，有一種無形而沈重的壓力來自心理，而這方面我肯定，比老林辛苦和困難多了。

所謂心理壓力，就是錯誤觀念，那套根深蒂固從台灣帶來的士大夫觀念——擁有高學歷，又曾在大專院校授課的講師——屈就在最陰暗，最低賤的角落，幹這種在台灣不屑一顧的僕傭的「頭路」，那般不甘、羞辱、無奈和愧疚之心，始終盤旋在頭腦中，怎麼趕也難以一下子趕跑，這時候，只有牢記和誦唸家鄉那句古訓：「英雄不怕出身低」，「萬丈高樓底處起」，「吃得苦中苦，方爲人上人」……等，藉此自我安慰，自我激勵，和自我調侃一番。

不久，只要一進房間，聞到那股彷彿動物腐爛的臭氣，我會不自禁湧起一股堅強的新觀念，得到一種未曾有的新啓示——不但要趕快驅逐士大夫觀念，而且要迅速建立新價值，新的生活態度和習慣，腳踏實地，埋頭苦幹；其實，這正是立足新大陸惟一的秘訣。否則，別說不可能有什麼成就，恐怕遲早會落魄街頭，可憐兮兮當乞丐了。

二十個房間中保留兩間來週租，只要按時去催繳房租，設法準時把錢拿到手最要緊，低俗房客偏偏愛賴帳和遲交，那麼，如何克服這項困擾，就是經理人員的職務。每逢週末，敲門去收租金，我都偕同老林去催促和爭執，如果無效，就馬上要改用強硬語氣，威脅與恐嚇，譬如厲聲警告，若再延遲到幾點不繳，我們要開門進去，不客氣將他們的衣物統統摔到外面，或叫警察來幫忙處理……，這樣，通常都能如願收到，但也不是那麼輕鬆或順利。

其餘十八個房間，不是天天能夠客滿，只有周末，例假日和月底發薪水的時候，才會客滿無餘。如果單純住宿和過夜，一間一間賣出去，就比較省事，無奈，有許多情侶來買房間休息，只需半天或幾個時辰，且隨時上門，隨時離去，則不勝其煩了。

從老闆的立場說，這樣短時間的生意，才是他們的最愛。一個房間有時一天能賣出好幾次，收入遠比一天過夜的數量，當然多多益善，竭誠歡迎了。

反之，這樣等於折磨作業人員，例如老林乍聽客人上門按鈴，立刻起床，接納客人付款和填表，之後剛回到床上躺下，又聽到另外客人送回鑰匙，準備退房，索回鑰匙押金：接著趕快備妥新床單，肥皂和毛巾等物，匆匆進入剛退房那一間，儘快打掃和整理，以便新客人上門求宿。如果生意熱絡，作業人員晚上很難享受持續幾個時辰的安眠。所以，我偕同老林同進同出，一起起來招呼客人，一起出外打掃房間，雙雙都苦不堪言，但又很無奈……。

若客人只買兩小時或三小時的房間，當然時間一到，就要乾脆離開；無奈，有人賴著不走，明知時間到了，甚至超過半個時辰以上，仍無離去的意願，害到新來的客人付了房錢進不去，那麼，經理人員必須出來催趕；倘若遇到壞房客，我倆白臉黑臉，統統都出籠，企圖達到對方離開房間的目的，倘若經理無法解決這項難題，就表示他不能勝任這份職務，非被老闆炒魷魚不可了。

別看老林平日顯得無精打彩，始終睡眼惺忪的樣子，他面對壞房客卻會大聲吼叫，滿臉怒相，雙眼瞪得很大，動作非常敏捷，膽量亦大，反應相當機警，嘴上永遠說那幾句不靈光的英語粗話，結果，都能順利解決眼前的難題，根本不需假手彼得起來從旁協助。我想，這也是老林能夠受僱於他的原因之一，因爲他能單獨操作經理的職務。

有一次，一個黑人醉漢來買兩小時休息，從午後兩點半起，付了十塊美金，可以睡到四點半，在這段時間內，他當然是第幾號房的房客。誰知道退房時間到矣，經理室不斷按鈴催他離開，過了半個時辰，仍然不見他離去。我出去敲了兩次房門，裏面毫無反應，理也不理……。

我忽然發現老林大怒之下，手持床邊一根硬木棍，衝出鐵門，我不放心他單獨去應付，也想去助陣，希望發揮搖旗納喊的功效，但我手上沒有帶什麼木棍。

只見老林走到那房門前，一面用腳猛踢房門，一面用英語叫喊：「出來！快出來！」不料，裏面那個黑漢只回答：「ＯＫ！ＯＫ！」十幾分鐘後，毫無動靜，顯然在混帳，賴皮不想走。

這一來，老林火上加油，馬上縱身掏出一把萬能鑰，想把房間打開。當他開鑰的時候候，不敢正對著房門站著，而是側身打開。伸長手去開鑰，目的是預防裏面開槍，避免被擊中的危險，因爲這是血淋淋的經驗談，別家華人旅館曾經常發生這種危機。

鑰匙開動了，老林抬起右腳一踢，房門頓開，老林一馬當先，衝了進去，大聲斥呵道：「滾開！滾開！」不由分說，伸手抓住那個躺著假睡的黑漢，對方衣冠不整，睜開眼睛，正要起來時，老林失去耐性似地吼叫，我站在門檻沒有進去，偶而隨興斥呵他幾聲而已。

我所以動口不動手，也是彼得和老林從多次歷練中領悟的秘訣。一則站在門檻時，方便耳聽八方，眼睛監視外邊有無他的同黨出現，以防突擊？二則老林獨自對付綽綽有餘，在旁助威也能壯他的聲勢；若往最壞方面想，對方事後報警來調查，也只算老林一人承當，不必涉及旁人，比較乾脆和單純。

依照美國警察的處理規矩，動口不動手，不涉及人身侵害，不會有事情。事實上，我看那個黑漢高頭大馬，手臂蠻粗壯，不禁有些心驚。倘若我去拉他，恐怕不一定能拉得住，說不定反而會被他撂倒，或遭他毒手，真是沒把握。

敬酒不吃、吃罰酒，那個黑漢自知理虧，也知老林不好惹，以前嘗過老林的中國工夫厲害，果然起身拿著自己衣服默默離去，整個過程到此結束了。前後估計，大約一刻鐘左右。我心想：「我若遇到這種場面，恐怕不能用同樣方式，還是另尋妙計解決……。」

事後，老林笑著說道：

「類似的事情，我處理太多了，今天不算什麼，你知道嗎?美國人很實際，黑人也一樣，非讓他親眼目睹你的厲害，領教你的兇狠，他不會畏懼的……反而以爲你好欺負，以後常常會來打擾。這樣，生意還能做嗎？」

老林這番話，我牢記在心，誓必當做今後在美國社會活用的最高原則。

六月份結束了，七月一開始，就是妻和兒女的暑假了，不到幾天，妻來信說，已買好華航班機，擬在七月中旬直飛洛衫磯，所有行李大致準備妥善，孩子們知道要來美國，自然欣喜萬分，但是，他們不知道還要不要回來，無法確實理解父母親今後的詳細計劃。

我離家一個多月，十分想念妻兒和父母親，期間寫了幾封信給他們，而今知道妻兒快要來會面，歡喜異常，不管今後要不要繼續留下來，須要等妻來了再商量和決定，反正隻身在外，心裏格外覺得思念。

日子一天天過去，妻兒來美那天，感謝彼得太太開車陪我去接機；這時，我還沒有買車，計劃決定居留以後再買，這是大家討論後得到的共識。

這時，彼得夫婦給我們家庭準備好一個房間，全家擠在一塊兒，幸好房間蠻大，緊靠在經理房隔壁，爲了安全，萬一夜晚有事，彼此方便照應，真是一項好主意。

妻和兒女初次來美國，不論聽到，看到和說到任何事情，都覺得新奇，驚異與疑惑，尤其，兒女住在黑人區旅館，每天早晚參與房間打掃，幫忙做各種雜事，晚上又跟彼得家人共進晚餐，也應有另一種複雜微妙的感想吧？

彼得偶而利用週日休業，開著一輛大車載著大夥出去玩，散散心，不讓孩子們整年窩在旅館，只讓老林和我留下來，其實，我也沒有玩樂的心情，一直跟妻在規劃前途，下一步應該怎麼走？雖然，妻盡量把全家人的衣服，日常用品都裝三個大皮箱帶來了，當然要做長期居留的打算，可是，當她發現美國生活條件如此艱難嚴峻，以我們眼前的處境看來，別說懷有什麼壯志雄心，要開創什麼事業，恐怕連最起碼的願望，也是最重要的目標——栽培子女——都沒有把握落實。所以，夫妻倆暗地裏討論再討論，始終在徬徨，而不敢冒然下結論。

妻和兒女隨同彼得家人，玩了好幾個洛衫磯近郊的名勝古跡，都一致讚嘆美國的壯觀，富裕和奇特，心裏也喜歡美國的大環境，當我們徵詢兒女的意見，想不想在這兒讀書，發展和生活下去？他們卻都默默不表示意見，依我猜，他們雖然心裏願意，但目睹父母三不五時長吁短嘆，愁眉苦臉，也略知繼續留下將會遭遇空前未有的困境，而那些想像不到的挫折和打擊，都必須依靠自己，也就是全家合力去克服解決，這一來，他們也都無法置身事外，一旦遇到任何危機或險境，自己也要挺身出來，對於剛要上國中的兒子，和讀完國一的女兒，履世未深，各種人間苦樂，未必完全明白，自然不敢坦言自己的願望。顯然，童心旺盛的年紀，面對這樣苛薄的生存環境，也在分擔不少憂慮和挑戰，所以，大家都不敢輕言留在美國不可的意願。

期間，我也曾經攜帶妻和兒女搭乘市內車，到過小東京，唐人街和洛衫磯法院等幾個鬧區遊覽，讓他們知道美國大都市的多樣風貌和異國情調。果真不久要回台灣，也能留下些洛衫磯的記憶，和美國的印象。

光陰迅速，台灣的暑假快近尾聲了，妻和兒女正在面臨回國與否的最後選擇，說來慚愧，我們全家人的意見並沒有完全一致，也就是沒有肯定留與不留的最後結論。有一次，彼得太太用極冷靜與嚴肅的語氣，從旁提議，說道：

「既然你們早有準備來美國，現也辭掉台灣的工作，賣掉房子，更難得全家得列入境簽證來到這裏會晤，而這是許多台灣人夢寐以求的……只要你們回憶，在台協會門前排長龍的情狀，就會暗中慶幸。其實，你們孩子都要上中學，很快中學畢業，上了高中，你們夫妻只要辛苦打工幾年，待孩子上到高中，就比較能抽空幫忙，期間，若不做旅館，也可找個小生意做，維持最起碼生活應該不成問題，何況你們還帶些儲蓄來，即使不頂多，也能壯壯膽，支撐個幾年吧？」

果然，我們夫妻就這樣決定不回去了，不過，妻的中學聘書卻慢一週後才退回去，從此塵埃落定，破斧沈舟要留在美國開創另一種生活，全家人的第二人生，無論如何要讓兒女在這兒完成最基礎的高中教育，至於將來如何發展，只有走一步算一步，眼前抱著「什麼苦都願意吃」的堅強意志……。

當我們決心留下來的時候，剛巧老林也在別處黑人區一家華人的汽車旅館，找到一份相同職務的工作，待遇只比彼得這裏多出一百五十元，據說那裏還答應給他獎金，只要每月營業額超出預計的若干，這一來，老林就能充份發揮這裏所學的各種經驗了。

老林離開後，我們夫妻義不容辭接替了老林的職務，夜晚改由我睡在客廳沙發上，方便隨時起來作業，和開門出去清掃房間。據妻說，我每趟出去，她的耳朵特別小心，隨時注意外面會有什麼異狀和聲響？這時候，沒有比安全更重要的了。

說真的，那時我不害怕什麼，一則習慣了夜晚隨時打開鐵門，衝出去處理緊急情況的經驗，二則有彼得一家人在家，即使有什麼爭執，或有壞蛋侵犯，只要我大聲叫嚷，彼得等大夥人也會即刻起來助陣，人多勢眾，當然可以壯膽哩。

彼得家庭訂一份中文報－「世界日報」，我們每天詳讀「求人求事」的廣告欄，其中許多工作項目和類別，都限於我的身份和能力，有些看似可以嚐試，但不是嫌待遇低，就是距離洛衫磯太遠的郊外，結果一直跨不出去，當然，彼得也沒有下逐客令的意思，反而安慰我們不必急，慢慢找，總會找到比較理想的工作。

在非常焦急和期待中，皇天不負苦心人，我們終於看見一則找「旅館經理」的廣告，地點雖然不在洛衫磯附近，而是位在車程一個半小時以外的歐斯納鎮，因爲他們所開的條件我們都蠻適合，跟彼得夫婦商量之後，再從長途電話詢問詳情，終於雙方都同意了。

從對方電話中知曉歐斯納鎮是個農業區，居民以墨裔爲主，黑人反而十分罕見，治安尙好，只要有些旅館經驗的人，都能夠管理才對，他們尤其歡迎經理家人全部住在那裏……。這樣看來，我們各種條件都很適合……。

必須一提的是，對方那位女主人雖然坦言自己是台灣人，她卻刻意用英語問我些旅館作業上的事務，並要我必須以英語扼要回答，所謂「行家一開口，就知有沒有。」她聽得出我的英言會話尙可，也蠻懂職務上的要領，便答應我們要求的待遇條件，同時約好那天去見面。

在台灣，我們夫妻都沒機會學開車，兩人也都笨手笨腳取得駕照，卻缺乏大馬路上的實際開車經驗，抵美以後，剛巧彼得有一輛舊式豐田車，供給我充份練習，努力適應美國的開車規則，縱使這樣下工夫苦練，我也連續考了三次，才好不容易取得加州駕照，等於有了自己的雙腿，開始能夠進出辦事情了。

約定見面那天，彼得夫婦開車送我們去歐斯納鎮，見到了老闆朱先生夫婦，他們開誠布公談些旅館作業必須注意的事情，我們一一答應。最後，一切依照先前電話中談妥的條件，說好那天正式走馬上任，以便辦理接班手續。

仔細一算，我們在彼得旅館待了五個半月，學會旅館經理的作業，這是立足美國的一種謀生技能，幸好汽車旅館在美國大小城鎮到處可見，我們暗忖，光憑這套本事，我們應該能找到這方面的事做，老林只懂幾句英語，尚且能找得到，但話又說回來，他的修護常識比我豐富，實際能力亦比我棒，我還得加把勁兒哩！妻兒三不五時這樣警告我。

那天，彼得夫婦各開一部車，分別裝滿我們幾個大小皮箱和生活用具，每部車各坐三人，浩浩蕩蕩前往歐斯納鎮。當天是星期日，彼得的一對兒女勉強答應留下來，照料旅館作業，非萬不得已不能單獨走出經理房，因爲安全最重要。

上車將要離開黑人區時，彼得夫婦看我們依依不捨，彼得太太竭力安慰我們，說道：

「一個半小時車程不算頂遠，你們知道我們平時也忙，恐怕沒空來看你們。其實，你們不必擔心，若發生任何事要我們幫忙，只要一通電話，我們一定來。以後，我們每隔幾個禮拜，就會搖電話給你們；剛去也許不太習慣，久了自然熟悉。我相信，你們夫婦合作一定能應付得來，那邊的治安和客人都遠比黑人區好太多，作業會比這邊輕鬆……。」

這段臨別贈言，讓我們非常感動和感激，至今隔了十幾年，我依然記得很清楚。

出了洛衫磯市，車速加快了。一路上，爬山越嶺，上坡下坡，來美國第一次有機緣觀賞新大陸的野外風光，包括寬闊的平原，與島嶼不一樣的丘陵，飼養馬匹，牛羊的大農場，以及許多家鄉看不到的各類果園，路上惟一見不到的是樹林和竹子類；剎那間，忘掉許多內心的憂鬱與不安，也暫時不計較前途的作業能否勝任？看累的時候，便自動坐著，閉目養神，任由彼得開到多快的速度？我和兒子坐在彼得的座車，而彼得太太那部車始終跟我們保持固定的短距離，一前一後，便於彼此照應，以免路上出什麼差錯。

約在午餐時刻，我們兩部車同時進入歐斯納鎮的伊西旅館了。彼得夫婦幫忙將行李拿下，之後一起進到經理室，跟朱姓老闆夫婦又見了面，坐下來自我介紹一下。

他們都來自台灣台北縣，僑居美國十多年，現在擁有三間中型旅館，兩家在歐斯納鎮上，另一家遠在美、墨邊境的聖地牙哥市，從這兒去一趟約計四小時車程，老闆夫婦平時坐鎮在那裏，歐斯納鎮兩家必須僱人經營，他們只會偶而抽空回來監督而已。

初次見面時，我很快直覺朱老板有一種說不出的模樣，臉色始終陰沈沈，沈默得讓我們感受某種巨大壓力。老闆娘則精明能幹，滿口流利的英語，聽她有時跟房客理論，我分不出她來自台灣，誤認她是土生土長的美國腔。

半個時辰後，彼得夫婦告辭了，我們送他們上了車，不斷向他們道謝，又乍聞彼得太太安慰我們，說道：

「若有任何事情，隨時來電話，別客氣，祝你們工作愉快！」

再說當天我們要離開黑人區，在上車前三分鐘，妻雙手交給彼得太太一枚信封，內裝三百美金，表示我們在這兒打擾五個多月，藉此意思意思一下，談不上表示什麼答謝，真正的感激放在心裏，不料，彼得不但拒收，反而微笑說道：

「因爲旅館生意不太好，你們平常幫忙打掃，招呼客人，我們也該付給你們工資才對。現在互不相欠，大家扯平算啦！我這輛六九年豐田車送給你當禮物，估計還能開一年不必花錢買新車。」

果然，我們住在歐斯納鎮期間，省下了一筆買車錢，進出辦事都辛虧這部老爺車從來沒有出過任何毛病，否則，我既無修車常識和經驗，也不必花錢修理，減少許多不必要的困擾。生活在美國，車子的重要非比尋常，如上述車子即是我們的雙腳呀！

住在黑人區旅館時，雖然彼得一家對我們很友善，很照顧，從來沒有在表情和言詞上給我們難過或難堪，縱使我對極簡單的器物修護也完全陌生，例如水龍頭的水滴不止，水糟銅管阻塞，不能排水，馬桶內穢物溢出來，必須靠鐵條通暢……等想像不到的困擾，可以說層出不窮，破壞率極高，而彼得也竭盡所能，非常和藹地指導我，無奈，我怎麼也學不精，學不好，然而，彼得也從來沒有氣餒和嘲諷，表現「孺子不可教也」，而讓我難堪的場合；彼得太太也對妻很熱忱，很親切……，憑心而論我們的日子過得還可以，只有一股難以舒解的寄人籬下的壓力，沈潛在我們全家人的內心底下。我想，我們家人巴不得早日擁有自己的家居生活，那就是一家四口能夠坐在一塊兒，無拘無束，自在開心地談話，說笑，充份享受像在台灣那種天倫氣氛。

現在到另一個新環境，顯然寄人籬下的煩惱和壓力解除了，也嚐到抵美國後第一次自食其力和自立自強的滋味，日子覺得很踏實；掃房間、鋪床單、掃廁所、擦玻璃和吸地氈等作業，跟黑人區旅館大致相同，不過現在要比較細膩和認真些作業，因爲客人品質高級多了，黑人反而少見，最多墨裔和少數白人，他們談吐舉止比較夠水準，櫃台招呼幾乎全由妻負責，我從旁協助，偶而也單獨處理，因爲我要打掃很多房間和清掃寬大的停車場……。

我們沒有放假日，一星期七天，一天二十四小時經營，孩子上下學，全由我接送，妻還未學會開車，我也要到超市購物，並且到另一家旅館收錢查帳，負責存入銀行。相反地，妻得整天待在經理房間，除了招呼客人登記，接電話，也要每天晚上結帳，之後呈給老闆查核，這是我們原則上的分工。

經理房就是我們的住家，有上下兩層，朱老闆夫婦和他們的兩個小孩全都住在樓上，我們的孩子也住樓上一間小臥室，妻和我的作息及廚房、客廳都在樓下，兩家共用一張餐桌。

雖然起居活動的空間比黑人區旅館大約寬闊四、五倍，精神上反要承受更大壓力與指束，因爲跟老闆夫婦住在一塊兒，平時他們不出門，躲在樓上看電視，事實上等於監視我們，偶而也下樓來，坐在客廳查看我們作業。有時他們坐在樓下客廳，默默看電視，只要有客人上門，他們夫婦總會轉過頭來，注視我們的反應動作，很認真聽我們怎樣跟客人交談？英語能力如何？處理是否得當？總之，只要目睹他們任何一人在身邊或客廳，我都很不自在和煩悶；勿寧說，我有些緊張，那股無法形容的壓迫沈重地籠罩著我，及我們全家人。我心想，這樣下去怎麼辦？比起跟彼得家人相處愉快的情景，實在有天淵之別。幸好妻有一次若有所思地說道：

「看樣子，他們好像要遠行了，因爲我曾聽他們夫婦在餐廳談話，猜想他們要去聖地牙哥那間旅館……。」

「果真這樣，這裏全交給我們可就太好啦！」我興奮地說。

說真的，這項可能發生的狀況，無異是打破我們全家生活苦悶的好兆頭，當我們偷偷地向孩子們透露這項訊息時，只聽女兒十分興奮地說道：

「他們愈快走愈好，看他那副冷冰冰的面孔，我都吃不下飯。」

朱老闆平常步伐很快，極少跟我們交談，穿著不甚講究，每天都穿工作服，好像彼得在修車廠穿的樣式。他那雙黑皮鞋也蠻破舊，後腳根被磨平了，可見他是個勤勞型的人。有時候，他們夫婦在餐廳談話，都是有關旅館的事務，從來沒有談到旅館以外的任何娛樂，社會新聞或政治分析，反正所有時間和精神都貫注在旅館事業上面……。

這家伊西旅館共有六十個大小房間，格局和場地遠比黑人區那家壯觀得多，我們來時正逢這裏農忙期，生意比平時清淡多啦！老板夫婦向我們吐露好幾次，基本上，歐斯納鎮是個農業區，墨裔居民大都很純樸善良，比起黑人區的情狀，無異另一種不同典型。所以，除了客人品質不同，生意方式與形態也有很大差別。這裏幾乎都賣過夜住宿，沒有情侶們來買短時間或休息片刻，除了週末或假日，平時頂多出租十個房間左右。這一來，我們作業就輕鬆些了，而不像彼得那邊總共才二十個房間，客人很少買過夜，僅來休息幾個時辰就離去，我們打掃次數必須增加，一天到晚忙個不停，體力支出多，而睡眠量少，這是相當惱人的事。

在這裏，我早晨先送孩子上學，二十分鐘後回來吃早餐，十點左右看到客人退房，就開始清房，通常要清掃到午後兩點左右。之後我要休息或小睡一個多時辰，醒來再讓妻去午睡。夜晚通常由妻起來招呼，隔著防彈玻璃的窗口，讓客人填卡，收款；週末和假日生意會比較熱絡，幸好兩個孩子都自動來幫我清掃，否則，我自己恐怕要掃到黃昏，或晚餐時刻；這一來，我肯定腰酸背痛，累得半死。

只須花一個星期左右，我們就能進入所有狀況，熟悉旅館所該做的大小事務，期間，朱老闆夫婦極少指出我們的失誤，只要他們稍微指點，或提醒一下，我們馬上能夠舉一反三，雖說我自覺近年來的記憶力衰退很厲害，幸好妻精明能幹、記憶特強、任何事只要聽進她的耳朵裏，就很少想不起來。

我們最有把握的，就是多少能憑以往的經驗，和專業常識，來判斷客人的好壞水準，及其素質高低。這一點對經理人員非常重要，若讓低水準或壞蛋住進來，不但深夜會吵到隔壁房的住客，迫使他們到經理房來訴苦，而且極可能呼朋引伴，暗中招來一群流浪漢惹事生非。這一來，麻煩可就多啦，也許會鬧到大家整晚不能睡覺，或更惡劣的情況。

雖然，這裏仍像黑人區旅館一樣分成週租、日租與時租三種，收價不一樣，文書作業蠻複雜，幸虧妻做事仔細、精明，這些作業不僅難不倒她，她反能指出他們從前做法的缺點。這一來，老板夫婦不由得暗暗欽佩妻的厲害，所以對她另眼相待，因爲從他們私下談話中可以體會出來。此外，妻還能記住幾位常客的名字，見他們一進門，便能立刻招呼對方的名字，讓客人喜不自勝之餘，覺得自己被尊重，被當做不尋常的朋友，結果經常上門，而給旅館帶來了生意，自然也令老闆夫婦相當滿意了。

伊西旅館是十多年前才蓋好，算是新建築，所有設備都蠻新式，加上房客水準比較高，只有些微的破壞率，平時不太需要修護，這一點我非常慶幸。偶而馬桶阻塞，穢物沖不下去或遇水龍頭滴水不停等小麻煩，我也能克服了。老闆修護技術比彼得還高明，一看就能馬上動手，力氣又大，幾乎沒有事情難得到他。他經常提醒我說，若沒有修護的能耐，就不配做旅館事業，因爲美國人工太貴……。

距離伊西旅館約二十分鐘車程那家市區旅館，僅有二十五個房間，朱老闆剛買下兩年，算是比較破舊的建築，那邊環境不理想，雖然位在市中心，但來往行人都是些流浪漢，一到黃昏，便有妓女出現在旅館附近，招蜂引蝶，結果影響到治安和旅館生意。

這家旅館的現任經理叫做麥克，是一個年紀二十出頭的白人，麥克一家都住在經理房，他們夫婦和一個一歲大的兒子。本來朱老闆不想僱用任何外國人，總認爲外國人不可靠，一接觸金錢，便易起盜心，尤其，肯屈就這種環境的年輕白人，都是些極低層的，沒有受過什麼教育的，他們一向對有色族裔懷有或多或少的歧視，這裏既無優厚的福利與待遇，且要二十四小時待在旅館，試問有幾個年輕美國人肯幹這樣辛苦的差事？而眼前的事實可以看出麥克夫婦多麼窩囊，可說走頭無路，才淪落至此，還有朱老闆也是情非得已，實在找不到中國人肯到這樣遠離洛衫磯的小鎮來，才只好僱用了麥克夫婦。

歐斯納鎮是很純樸的鄉村，農業區，除了幾十條縱橫交錯的熱鬧街道，以外都是水果園、花生田，兼種一大片蔬菜和雜糧，農忙期間，我們有半數以上房客都是農場工人，全都來自墨西哥的非法勞工，而極少土生土長在美國的墨裔。走在街上極難看到東方面孔的黃種人，據朱老闆說，這裏連日本料理店和中國餐廳，總共也只有三家而已。在半小時車程的郊外，倒有日裔農場，規模很大，日本人平常不會到鎮上購物，殊不知歐斯納的鎮長是位日裔，姓中村，可見本鎮的日裔擁有雄厚的勢力。我心想，難得來到這裏，總得找個機會去參觀日本社區，或日本農場。

算一算日子，我們來此將近一個月，除了作業，上午須跟朱老闆商談，內容簡單扼要，平時碰面也僅點點頭，連說幾句招呼都免啦，遑論坐下來閒聊，這一來，我們覺得相當苦悶。表面上，兩個家庭，共居在同一棟樓房，同餐桌，也同客廳，但雙方大人也僅限於業務交談，我家小孩偶而陪同他們小學的孩子在外面玩球，我有過幾次刻意找話題要跟朱老闆暢談，想要開創像彼得那邊一樣輕鬆的氣氛，好好舒解生活異國的落寂，無奈，朱老闆始終冷淡的答說道：「我現在沒心情，以後再說。」

一連碰過幾次軟釘子，我自覺無趣，乾脆每次坐在客廳，也各看各的電視，相對無言。這樣習慣以後，我也不覺得尷尬了，反而覺得極自然。我心想，朱老闆也許天性沈默性格，不擅交際，不愛跟人結緣。

老闆娘的英文名叫貝蒂，雖然也不多講話，但遇到工作上的必要，或心血來潮，她偶而會坐下來跟我們聊了一陣，但內容與主題局限於旅館作業，而從來不談美國生活的情形。這一來，不論做朋友或勞資關係，以東方人的觀點說，未免顯得太冷漠，太不近人情，甚至說得貼切些，彼此間存在一些敵對或衝突意識。當然，這不是健康的人際關係，勿寧說，是一種潛伏的悲觀心態，總有一天會造成不愉快的結局，我三不五時這樣疑慮和暗忖。

我們夫妻早有一項共識，不管朱老闆夫婦跟我們有無良緣，或喜不喜歡我們，反正我們既來之，就得懷著恒心，安心和決心，在這兒打工，且要竭盡所能，堅持下去，絕不偷懶。顯然，現在一家四口就是一個命運共同體，我和妻是其中主宰者，我們始終有一項默契與信念，只要忍耐和克服這二三年困境，待孩子高中畢業，肯定會給我們帶來更大的勇氣和希望，後繼有人，那麼，眼前的辛苦算什麼呢？

我們的目標是，先讓孩子能安心上學，打好英文基礎，同時盡量不能動用帶來的老本。所以，我們必須有安定的生活環境，與固定收入。尤其不輕易更換工作，一動不如一靜，如果經常搬家，或更換工作，必然會使孩子遭殃、轉學、或輟學、不停地更換學習環境，後果可想而知。眼前，全家團聚在經理房間，不必付房租、瓦斯和水電費，反而有工資收入，我們剛到陌生國家，舉目無親，年紀半百，又無特殊技能可以謀生，只要暫時忍耐這樣冷漠和苦悶的工作環境，付出一定代價是必要的——值得的；一想到此，我和妻遇到任何生意引發的困擾，和老闆夫婦的若干傲視，不僅能合作對付，也能有更自在的態度了。

我們的工作態度，熱忱與忠誠，逐漸被老闆夫婦看在眼裏，表面雖然沒有誇獎我們一句話，至少沒有過苛薄的責備，幾次談話的語氣比較和緩了，臉色也不似剛來那幾天的陰沈，這樣，我們的適應能力也逐漸增加些，家庭間的談話也頻繁些了。

一天清晨，老闆全家起床特別早，從樓上一走下來，匆匆搬著行李，大包小包塞入座車，老闆娘貝蒂打扮比平時時髦、口紅塗得格外鮮明，平時外出，不曾見過的手提包也拿在手上，他們的孩子也都先後上了車，看樣子他們不吃早餐就要遠出的樣子。

朱老闆仍像往常一樣，早晨見面連說一聲「早」也免掉，始終冷淡地走入廚房，獨自坐在餐桌前，冷冷地試探我們說道：「如果我們不在這兒，你們有辦法照顧生意嗎？」

「沒問題！」妻不待我開口，竟搶先以堅定、勇敢的語氣，鏗鏘有聲地回答他。「好！我們現在就要去聖地牙哥，你們若遇到困難，可以隨時來電話，我會隨時趕回來。」

朱老闆的話講到此，便遞一枚小紙條給我，上面是他在聖地牙哥那間旅館的電話，卻沒有旅館地址。接著，他抽出一根煙，「咔」地一聲打火機的聲響，點燃了香煙頭，悠悠然吸了幾口，又極嚴肅地吩咐我，說道：

「你每天傍晚得去一趟市區旅館，向麥克收錢算帳，之後跟伊西旅館當天的收入一齊存入銀行。夜晚就寢前，你再去一趟伊西旅館，查看一下麥克有沒待在經理房？只要看他的車子不在，必然人也不在，可千萬小心別讓他發覺你來暗中查勤。」

聽完老闆的吩咐，不等我回答什麼，他起立一轉身，匆匆步出了經理房。

這一下子，我們夫妻終於大大鬆了一口氣，那種徹底的解脫感，無疑是來到歐斯納以後第一次，片刻後，我打電話給彼得，開始真情吐露來到這裏的感觸和近況，以前怕朱老闆夫婦在家，不便實話實說，只能簡單報告一切還好，請他們放心，其實也只能講到這些，即使真正遇有什麼困難，彼得也愛莫能助，凡事得靠自己去面對和解決呀！這才是在美國求生的惟一秘訣。

表面上，朱老闆似乎器重和肯定我們的表現，才要我代替他去收款，存錢和查勤。然而，這些額外職務不是原先談好的工作，若按照美國習慣和規矩，我們可以拒絕，或有權要求加薪。無如，朱老闆閉口不提這些，便故作不知地離去了。當然，我們猜得到他的打算，他們知曉我們剛來美國好欺負，非法打工不可能向勞工局控訴，攜家帶眷，急著找工作，一旦安定了，更不可能東奔西跑。我們諸般弱點和眼前處境，他早就看得一清二楚，才敢趁人之危，行不義之事，這是我們當時的想法。

事已至此，眼見孩子平安上下學，開始落實我們的初步計劃，也就忍辱負重，一切按照朱老闆的吩咐去做了。

朱老闆家人離開後，我們一家人的情緒有了巨大的改善，孩子說話也不再有什麼拘束，尤其生意日漸好轉，不曾出過什麼差錯，即使有幾個房客跟我們有些糾紛，我們也能迎刃解決。其他各項作業都難不倒我們，比起黑人區旅館兩天一小吵，三天一大吵的不安情狀，顯然平靜太多哩！

不過，這段期間倒碰到一種怪現象，好幾個深夜一兩點前後，忽然聽到電話聲響，我們驚醒起來，一接到電話，對方不吭一聲，便自動掛斷電話，起先，我們很納悶，討厭誰在惡作劇？真缺德，三更半夜打電話吵人睡眠，我們在此既無朋友，亦無敵人，到底是誰呢？怎麼以前從來沒有過呢？真有說不出的埋怨和疑惑。

「啊！我知道啦！」一天，妻突然自言自語叫了出來，把我嚇了一跳。

「妳發神經呀！」我正色問她。

「只有他們才會這樣，我肯定是他們打的。」妻恨恨地對我說，一副自信和冷笑的表情。

這一來，一向糊塗的我，竟也恍然大悟，不禁問說：

「他們為什麼要這樣？」

「還不簡單，他們查看我們有沒貪睡，電話聲響都不起床接聽，警覺性顯然不夠。」

哇！果然有道理，原來朱老闆還在遙控我們，心血來潮撥個電話，不在白天，還在深夜打來，不是查勤，難道存心開玩笑不成？

大約一星期過後，一天清晨，我們吃過早餐，正想開車送孩子上學，忽聽有人按門鈴，我很疑惑：「怎麼這麼早有房客上門？」開門向外頭一瞧，一個東方面孔的年輕男士進入門來，個子蠻高，相貌堂堂，滿臉卻現出一副焦急的樣子。我正在猜測他是中國人？日本人？韓國人或越南人？忽然聽他迫不及待似地吐出一口標準北京話問：「請問老闆在嗎？」

「他上星期回到聖地牙哥去了，你找他有事嗎？」

我知道他是自己的同胞與同鄉，內心不禁湧起一陣溫馨與親切，就停下來問他。

「我有事要跟他當面解決，老闆不在，那老闆娘呢？」

對方馬方露出失望的眼神望著我，急欲知道答案。

「她也不在……你既有要緊的事要找他們，也應該先來個電話，約好見面時間，這是美國規矩啊！看你老遠開車來，不是白跑，浪費時間嗎？」

我明白嘲笑他，也有同情和責備的意思，他可沒生氣，卻急著向我解釋說道：

「我當然打過電話啦，約好今早七點鐘要來，誰知他照樣不在，害我又白跑一趟……朱老闆太不夠意思，這樣，我還得再來一趟，開車來這裏要一個半小時。」

我聽了更加同情他，便請他到客廳稍坐片刻，待我送孩子上學回來，再詳聊一下，在這樣邊遠的異國小鎮，難得這位不速之客是說相同語言的同胞，又聽他話中有話，也讓我好奇，就叫妻出來招呼他一下，之後我才出門去。

一路上，我暗罵朱老闆真缺德，不守信，害人老遠開車來，全不替別人著想，只顧自己的事業。

我回到旅館時，發現客人走了，我忙問妻說，他到底找老闆什麼事呀？妻答說：「那個人姓董，半年前他們夫妻像我們一樣，也在這裏當經理，幹了五個月就離開，最後一個月薪水沒拿到，因爲朱老闆告訴他：『今天不是發薪的日子，現在不便給你，你可以留下地址，我會寄給你。』別說老闆至今還沒寄給他，期間，他還特地來過兩次，事先雙方也約好某日某時來到，朱老闆夫婦卻故意先離開，避不見面，不知刻意刁難，還是無意給他。朱老闆未免太過份了，不想想人家靠工資過日子，連這一點血汗錢也要揩油，真沒良心，同樣是台灣來的嘛！」

妻說得沒錯，朱老闆太絕情，若真有誠意給他，去聖地牙哥也可叫我轉交，何必這樣整人家？我們意外知曉這樁內幕後，開始警覺朱老闆夫婦的爲人，以後辭職必須選在他們發薪前一兩天，或拿到工資後才聲明，防他之心不可無，一昧以善意等人，也許後果會像這位董先生一般，爲了拿到最後一個月工資，而吃盡苦頭，說不定最後落空才慘哩！

朱老闆夫婦離開三星期左右，一天深夜約十二點，朱老闆突然自己回來，當時，我吃了一驚，因爲夜闌深靜，忽見房間被人打開，闖進一個男人，不聲不響，低著頭走進來，讓我們有些措手不及；我仔細一瞧，原來是朱老闆有鑰匙，不需按門鈴，自己開了門，就匆匆跨進房間裏。我略定一下心神，看他仍舊不吭聲，陰沈的面孔向我點了個頭，我只好先開口，但極不情願地問他說道：

「這麼晚回來！一個人嗎？」

「哦！」

朱老闆毫無表情，一副愛理不理的態度，雖然我心裏納悶，不舒服，禮貌上招呼之後，我也不再多說，等著他查詢，不便上床就寢。說真的，當時我全身累極了，這個時候應該睡覺。

他一轉身到客廳，我便聞到一股濃郁的酒味，發現他手中握半瓶紅字標籤，黃色瓶子的伏爾加酒。據說這類俄國名酒的酒精濃度極高，若非嗜好杯中物的人，一般人不常喝它。朱老闆一坐沙發，順手從茶几上撈過一個小杯，酒還沒倒出便突然微笑看著我，真是罕見一次微笑，他遞給我一個小茶杯，說道：

「你來半杯，如何？」

我緩緩地走到他對面坐著，強歡作笑一下，手指那個茶杯，說道：

「這樣強烈的酒，我不敢輕易碰它。以前，金門高粱一碰到嘴唇，立刻感覺一股強烈的辣味。我想，伏爾加更不得了，你能夠喝半瓶？」

「告訴你，我十點鐘就回到歐斯納來，先去麥克那邊巡視一趟，麥克肯定沒發覺。之後，我才到附近一間酒巴，喝剩這半瓶拿回來。來呀！你嚐一點嘛！」

朱老闆一口氣吐露，自己回來歐斯納鎮的經過，有道是，喝酒會亂性，或酒後吐真言，看他現在說話舉止，跟平時完全兩樣。勿寧說，只有跟他喝酒乾杯，雙方才可能進一步溝通，或開誠暢談，我逐漸領悟了這個秘密。然而，我自始就無意巴結，也自認跟他無緣。

好漢不吃眼前虧，我這樣暗忖，全家都住家這兒，他是老闆，我是夥計，依台灣社會的習慣，勞資對立，一向都是勞方屈居下風，氣勢上贏不了資方。而今必須保住這個飯碗，不能丟掉這份差事，心理上早在對方一清二楚的算計中，所以，面對老闆都像如臨深淵，如履薄冰一般，我絲毫不敢怠慢，勉強笑一笑，伸手接過他的小杯子，說道：

「好！我只嚐一口就夠啦！」

朱老闆很開心替我倒了三分之一杯。這時，妻在餐桌邊見我要喝伏爾加，趕緊跑來阻擋，笑著說道：

「你可別裝好漢，怎麼能跟朱老闆比呢？夜裏客人上門，你可別睡不醒呀！」

「放心吧！你先生絕對沒有問題，我看得出他蠻行。」

朱老闆幫我打氣了，從來沒看他的興緻像現在這麼好過，雖然妻走過來，坐在我旁邊，竭力勸阻我，可是語氣顯然不那麼強硬了，也許是朱老闆那句話生效的緣故。

我轉過臉對妻說道：

「久聞伏爾加酒的大名，以前沒有機會品嚐，現在老闆這樣好意，怎能當面錯過？」

我邊笑邊說，卻也拿起酒杯往鼻孔一聞，聞出一股強烈的酒精氣味，之後，用舌尖舐一舐，即刻嚐到一陣濃郁的辣味，故我始終沒喝，只會連續用舌尖品嚐四、五遍，就放下杯子，刻意稱讚酒好說道：

「名不虛傳，我今天第一次品嚐，算是很榮幸。你酒力肯定不錯，可別喝太多，身體要緊喔！」

「一開始，你品嚐不出它的妙味，待你真正嚐到甜頭，肯定你會常常想喝，就像我現在一樣，貝蒂不在身邊，我心裏就想喝個過癮。」

我相信他這句話，瞧他滿臉通紅，濃烈的酒氣，一陣一陣衝進我的鼻孔，擋也擋不住它。自從來到這裏兩個多月，他從來沒像現在這樣暢懷談話，態度和口吻也從來沒像現在這般懇切真情，我不禁有些受寵若驚，同時不覺得有什麼老闆的壓迫感了。這時候，第一次乍聞朱老闆的心聲——人世觀與生活態度。只聽他滔滔不絕，有意無意吐露一段頗有見地的話：

「一個人書讀多沒有用，我是最好的例證。在美國，只要肯埋頭苦幹，腳踏實地，有能力賺錢養家才是真正男子漢。美國人現實得要死，他們不喜歡，亦不相信口號，對什麼計劃，或什麼理想都沒興趣，只認知實實在在的東西，讓他們見了才肯相信。例如美國人始終瞧不起中國人，別聽台灣媒體胡扯，美國跟我們有什麼傳統友誼，其實，他們心裏瞧不起中國人，只有聽說中共試爆一個原子彈成功，美國人才肯相信中國人還有點兒本事，觀念改了一些……。」

朱老闆來美國十幾年，看他雖然沒什麼文化或學歷，倒有滿肚子人生感觸，和幹活的心得，以及對美國社會的實地觀察，在這頃刻之間，他如怨如訴地坦述出來，好像恨不得要向一個許久不曾見面的老朋友傾吐出來。

半晌，朱老闆連續吐出幾口白煙，當然，整個客廳很快散發出濃郁的酒氣，朱老闆約略激動了起來，我可沒有勾引他談話興趣，而是他不打自招，極欲將平常積鬱已久的悶氣坦誠相告，一則想引人同情，二則想讓人誇獎他白手起家的奮鬥經歷。

他說，自己六歲喪母，之後在大姊一手照顧下成長，父親一天忙到晚，在外頭幹活，拼命賺錢養家。當時，家裏沒半點財產，日子過得非常悽慘。他只讀到北投國中二年級，沒等畢業就獨自到台北來闖蕩，勉強可以糊口，之後，他到高爾夫球場當球童，專門幫人撿球，也幹過計程車司機。期間，他認識一名台大女生，也就是現在的太太貝蒂。當時，朱老闆不管自己的學歷與身份，就向那名女生窮追不捨。結婚那天，女方家長憤而不去主持女兒的婚禮，理由是嫌棄女婿的家世貧窮和低學歷。婚後，他們設法來到美國，當然沒有帶多少錢來，只好到處打工，開過咖啡館，漢堡店，結果也都沒有賺錢，窮到連大女兒出生，都不得不向朋友借貸，實在寒酸到極點，身在異國，那種生存壓力非同小可。

窮則變，變則通，朱老闆被迫另謀生計，一天，偶然發現報載的求人廣告——歐斯納鎮有一家旅館，即現在這家伊西旅館要僱用一對夫妻檔經理，於是，他們商量後，便來應徵了。

很幸運他們被僱用，很安份待了五年，銀行裏有了存款。因爲這幾年沒有什麼開銷，沒有放假日，他們足不出戶，一直計劃有一天東山再起，要自己當老闆。

說來湊巧，這家旅館老闆是印度人，他為了投資別的事業，急需錢用，便有意拋售伊西旅館。朱老闆夫婦聽到這個訊息，再三考慮後，終於決心頂下來，他們深知這裏有相當的發展潛力，只要耐心經營，不愁將來沒有錢賺。平時，他們留心在歐斯納鎮一帶做過市場調查，根據各種評估，自己的存款不足，除了要向銀行貸款，貝蒂又跑回台灣向兄弟姊妹借錢回來，才勉強繳出頭期款，而如願頂下這家旅館，前後一算，他們來美國十年才真正擁有自己的事業基礎。

剛買下伊西旅館，適逢聖誕節前一個月，既無墨裔農工上門，又無渡假的客人住宿，生意十分清淡。旅館必須維持起碼的支出，也就不能堅守當初原則——「好客人才收，寧可讓它空房，也不收壞客人。」於是，他們被迫改變經營方針——來者不拒，好壞全收；取消不二價的規則，改成彈性收價。換句話說，不論客人品質，只要價格差不多，就統統讓他們住進來，其中不乏小偷，妓女，販毒者和皮條客，這一下果然營業額大增，卻也因客人品質參雜不一，經常發生爭吵，糾紛和打架等麻煩，而招來警察的調查與干涉，尤其夜晚常常有警車前來巡視，看看有沒糾紛或爭吵？

總之，起初這一段經營，相當辛苦。朱老闆談到這兒，自己不斷冷笑，看他的表情好像跌入回憶中，常有得意與某種自諷的意味，最後，他又冷冷地說道：

「什麼都要靠本事，剛買時的房間設備，那有現在這樣完備？所有修補都不敢僱人，全由我這雙手包辦，光是我省下的工錢就有一大筆。那時，我們捨不得花錢請人打掃，我們夫妻從早做到晚，又從晚上做到天亮，二十四小時輪流睡，每人也只能小睡幾個時辰，不像你們現有兩個孩子幫忙打掃，偶而有空可以休息，已經很不錯哩！」

「沒想到你們也這般辛苦過來，結果有了代價，像我們這樣苦幹，不知還要待多久才能有你們這般成就？」

妻在旁邊刻意誇獎他，世間有誰不愛被人戴高帽子，平時我們沒有機會暢談，而今正是時候。

「快啦！你們的孩子已經上中學，再忍耐三，四年會成長特別快，在美國，只要肯付出心血，肯吃苦，就很快會站起來。」

朱老闆的語氣極堅定，無異自己的經驗談，也是美國人的價值觀。一切成功靠自己努力，根本不必向人攀緣，或套人情，那是台灣社會的一套，在此門都沒有。

接著，朱老闆的話鋒一轉，侃侃而談：

「台灣來的留學生我看多啦！拿到了博士，碩士學位，連自己生活都成問題，養家更辛苦，根本沒有謀生能力……哈哈……我看多啦！」

朱老闆雙眼盯著我，一連呵呵笑個不停，我不禁心裏發毛，他表面上嘲笑留學生，書讀多不管用，不能賺錢養家，其實何嘗不在暗示我——別把台灣的士大夫觀念帶過來，那樣會害死自己，還是趕緊向我學習吧，腳踏實地最要緊。

朱老闆自斟自飲，咕嚕一聲，喝下半口伏爾加，繼續說道：

「老實告訴你，我差不多僱用過上百個旅館經理了，都是台灣留學生，年紀輕輕；沒有用啦！連英語都說不好，處理問題的能力更差勁，一碰到麻煩，手忙腳亂；他們只會在學校背書，頭腦不靈光，別說什麼發明不會，連最起碼的生活常識也不懂，例如水龍頭滴水不會修，馬桶阻塞也不曉得怎麼辦，來不到一個月，統統被我解僱啦，免得看了就火大……。」

朱老闆的口氣得意極了，態度也狂妄極了，他竭盡所能挖苦留學生，嘲笑台灣死背書的教育，其實，我平時也不止一次聽他說過類似的批評，一直強調能夠動手做事，懂得解決問題等實際能力，遠勝一張空洞的大學文憑。我仔細一想，朱老闆的自卑感出自低學歷，沒文憑，而娶到一位台大會計系畢業的能幹太太，自然產生強烈的自大狂，尤其對台灣讀書階層的留學生，懷有極端嫉妒的情緒，凡被他僱用的大學或留學生，在他手下無不叫苦不迭，不是被當面嘲笑，諷刺，就是遭到苛薄的呵斥，一點兒不給對方留面子。

眼見壁鐘已經過了清晨兩點，朱老闆有了相當酒意，半瓶伏爾加酒不剩半滴，反而我的子杯裏有一半，妻知道我喝不下，應該收攤和休憩了，就趁機向朱老闆說道：

「我先生酒量不行，這樣名貴的酒倒掉可惜，反正他也沒有喝過，還是由你包辦吧！時候不早，你也不能再喝，大家趕快休息，明天有一大堆工作，像你這樣勤勞的人，肯定也閒不下來。」

朱老闆不吭氣，一連打兩次哈欠，才突然起立，慢吞吞走到餐桌前，放下酒杯，身體搖晃，一直腳步不太穩，我故意擔心地說道：

「你明天早晨起來洗澡也行，現在正好埋頭大睡。」

不知朱老闆有沒聽到我的話，只見他猝然一回頭，雙眼半睜半閉，伸手從口袋掏出一枚百元大鈔的美金，僅用拇指與食指夾著鈔票，故意在我面前搖擺一下，十分得意，我不懂他什麼意思？只聽他又用調侃的口吻，說道：

「任何人的學問和文憑都比不上美金，世上有什麼東西比得上它呢？只有金錢才是人的第二生命，若要在美國混，哼，沒有了這個，還想混什麼？」

他那次說話和表情，給我留下深刻的印象，凡在美國這個生活緊張的社會混過來的人，恐怕對朱老闆的意見多少有相同的領悟，不管自己心裏多麼不喜歡這項觀點。

次日清晨，我依平常時刻起來，再送孩子上學；回來仍不見朱老闆下來客廳。我和妻在吃早餐時，不願談話聲音吵到樓上的朱老闆，妻有些憂鬱的樣子，說道：

「若生意做不起來，恐怕他也不會讓我們待下去，看樣子，隨時要動腦筋找出路。在美國總是這個樣子，不是自己走路，就是被迫走路，勞資雙方沒什麼情義。」

妻看我默不作聲，只顧喝牛奶，又接著說道：

「昨晚我忽然想出一條計，肯定能把生意做起來，你猜什麼計？」

「我怎會知道？」

「要記住每個客人的名字，一看他們進門，不待對方出聲，就能叫出他的名號，虛情假意，問他近況，你好嗎？肯定讓對方歡喜，好像朋友一般熟悉他，了解他；我們到店裏買東西，若遇老闆一看見我們，就這樣親切招呼，不也一樣能使我們歡喜，願意上門？」

果然有道理，問題是記熟每個房客名號不容易，近來生活不安定，壓力沈重，總感到記性特別衰退，有時連朱老闆的吩咐，幸虧妻經常提醒，同時自己也只好筆記下來，否則常常忘掉，彷彿根本沒有這回事一樣。

下午兩點多鐘，始見朱老闆起床下樓，我們碰面又是老樣子，我儘管微笑招呼，他依舊板起面孔，冷冷地向我點個頭。除非有作業上的吩咐，他會直截了當，簡單敘述一下。否則，他什麼話也不提，擦肩而過，各做各的事。我出去打掃房間和停車場，他坐在客廳跟妻結帳。清點現金，核對帳冊之後，默默地開車離去，招呼也不打一句；依我們猜測，他極可能先去市區旅館查詢麥克，接著回聖地牙哥去。他所以故作神秘，不說去那裏，要不要再回來，或幾時回來，無非有監督的意思，讓我們提防，老闆仍在身邊，不能搞鬼，這是他用來對付夥計的老闆作風，因爲他三不五時說溜了嘴，我們才從中明白。

眼見晚餐時刻到了，朱老闆仍不見蹤影，顯然，他已經回聖地牙哥，也許正在歸途中，一想到此，我們一家又恢復輕鬆了。

我們夫妻的作業天天一樣，分工和輪流小睡；若有多些空閒，我便認真查看歐斯納鎮地圖，之後開車去認識主要街道，機關行號，例如市政府、大銀行、超市，因爲經理室不能無人坐鎮，讓孩子坐在那兒不放心，所以，妻來到這裏沒有出外一次，附近既無朋友，又沒有值得觀光的所在，我不過到近郊繞了幾圈，兜兜風罷了。

可是一次差點兒迷了路，想起來頗不好意思。

那天傍晚，我載著兒子小宏去一間最大的超市購物，事先懶得查地圖，只記得一位房客透露，出了伊西旅館，往前兩英里左轉，再向前約三公里右轉，即是那間名叫農夫的超市。當時一路上放慢車速，警惕自己別走過頭，不料，到某處左轉時，發覺街名跟房客說的不符，於是想退回來又不能，後面幾輛車，虎視眈眈，只好往前一條街左轉，打算反方向回來右轉，誰知轉了幾趟，竟忘了原來那條街。這一來，我的車逐漸遠離了市中心，眼見四周很荒涼，沒有一棟房屋，路上亦無行人可問，且路邊掛著不遠是高速公路入口；糟糕！我心裏暗叫不妙，現在辨不出東西南北，地圖又沒有帶出來，怎麼辦？天色愈來愈黑啦！小宏看出我自言自語，略微緊張的樣子，立刻安慰我，說道：

「別急，先把車子停在路邊，待有車子經過再搖手問他。」

我慢慢把車子駛向路邊，一會兒停下，打開緊急燈，坐在車內左顧右盼，尤其注視前後有無車來？這樣足足等了片刻，仍不見什麼車子，我想這樣等下去不是辦法，趕緊趁前後無車之際，迅速發動座車，突然來個反方向調頭走，急駛了十分鐘左右，右轉進入一條小巷道，可能是獨立家屋的私人道路，我們不顧什麼禁忌，或有沒有違法，匆匆往前開去了。

不到五分鐘，果然發現這座幽靜的叢林，小徑兩旁的柏樹排列整齊，約兩三丈高，正前有淡藍屋頂的別墅，我把車停在一邊，叫兒子坐著別下車，我下了車前走幾步，果然有扇體面的樹板門，門邊有個鈴，我輕按了兩聲，片刻後，走出一位髮斑白的老太太，一直望著我發獃，我滿臉堆笑向她舉手招呼一下，她才慢吞吞走前來，問道：「要我幫什麼忙嗎？」我馬上告訴她現在的困惑，問她怎去農夫市場？怎樣回伊西旅館？她沈思一會兒，我猜她聽懂我的意思，因爲我說得極慢，每個字發音準確，清晰，擔心她耳聾或失聽，但聽她回答我說道：

「你先退！到哈姆街：右轉到辛格街，然後向東走，會看到美國銀行，再左轉一百尺停車，可以面對農夫市場？你說伊西旅館那條街，我可不清楚。」

爲了怕記錯，我重複一遍她的話，她點頭微笑說：「正是！」我告辭後上了車，就跟兒子商量，天色快晚了，若到市場買了菜回去，恐怕家人擔憂，這樣晚還不回來，兒子毫不猶豫說道：

「我們先回去，明天放學後再來；之前，一定先查明地址，以後出門不能忘了帶地圖喔！」

但現在怎麼回去呢？父子倆開始擔憂了，我迅速退車，到了馬路，左顧右盼，忽見左邊來了輛警車，我立刻衝下車，搖搖手，大聲喊：「警察！警察！」警車猝然停了一下，發現我站著招呼他，便把警車朝我駛來，警察從車內探頭，嚴肅地問我：「什麼事？要我幫什麼忙嗎？」

我慢慢走近警車，同樣用極緩慢的語句，清晰地吐露自己剛來歐斯納鎮，出門忘了帶地圖，而現在不知怎樣回家？並告訴他伊西旅館的街名，門號……警察一聽，只說一聲OK，你跟隨我的車後，我會告訴你。

約走了二十分鐘，夜幕拉下來了，進入市區後，萬家燈火，路燈也很明亮，我們終於平安回到了伊西旅館。

歐斯納鎮位於洛衫磯北邊，也是在彼得那個黑人區往兩個半小時車程的海邊鄉村，從十二月初起，逐漸有些寒冷的感覺。早起那陣寒氣，籠罩著四周，一踏出門外，突然撲面生寒，使人的頭腦特別清醒。挨到十點以後，始覺天氣暖和多了，正是我清房的時候，忙進忙出，身穿一件衛生衣足矣！且不會出汗，天候真好哩！

夜晚幾乎沒有生意，不亦快哉，可以一覺睡到天亮，不像黑人區到寒冬也一樣晚間沒得睡，因爲黑人房客多半買短時間，偕同女友或妓女來休憩，讓我們清掃不停，這樣，老闆當然高興，可苦了我們。幸好這裏的生意狀況不一樣，只有過夜的客人而已。

我絲毫不敢違逆朱老闆的交待，一到市區旅館，便先向麥克拿鑰匙，自動打開三，四個房間，進去查看裏面乾不乾淨？燈光完全熄掉了沒有？水龍頭關牢否？雖說麥克夫婦明知我替代朱老闆來檢查，但他們依舊對我表現坦爽，有問必答，可答案都一樣：「生意不好，昨晚只有五，六個人上門。」

反之，他們從不問我伊西旅館的生意，這是美國人的好習慣，不關自己的事絕不插嘴，尊重別人的隱私。有時，麥克外出了，我問麥克太太生意的狀況，她反應就不像麥克那般坦爽和無所謂，似乎較有種族優越感，一種愛理不理的口吻，說道：「我聽不懂你什麼意思？」我心想，麥克聽得懂，爲何你聽不懂？所以，若逢麥克不在，我也不便多問他太太，匆匆結了帳，數了現鈔，就迅速離去。

大約兩週後，朱老闆夫婦偕同孩子又回來了，時間也選在深夜一點左右，路途遙遠，加上旅途疲勞，只見他們的孩子一進客廳，便東倒西歪在沙潑上半睡半醒，懶得說話。他們進房前依舊不按門鈴，或突然聽到房門被人打開，便見朱老闆夫婦魚貫進來。他們習慣這樣偷偷摸摸，讓我們措手不及，幸虧我們遇到幾次經驗，比較不會驚嚇，但壓迫感依然存在，猝然彷彿被人監視一樣，雖說我們沒做虧心事，但也不樂見他們在自己身邊現身或遊走。

朱老闆進來後，臉色照樣難看，只朝我點個頭，一句話不吭，跟那次喝完伏爾加酒後，滔滔不絕的談話，完全判若兩人。反聽老板娘貝蒂開口，問道：

「今天賣了幾間？」

這些話我從來不回答，全由妻簡單答覆，因爲我的重心，放在清掃和房間狀況，這是我們夫妻分工的原因，之後改由朱老闆問我，說道：

「麥克有沒有經常溜出去？」

「我碰過兩次他不在，但他太太沒有離開。」我實話實說。

「其實，麥克上那兒我也知道，總有一天他會露出馬腳。」朱老闆冷笑和自言自語。

他的話讓我納悶，心想：「你怎麼知道他那麼多私事呢？」

朱老闆冷冷地又對我說道：

「我們今天趕回來，是擔心三號的房客明天房租到期，怕他們賴著不走，而你們奈何不了他，他們住了兩個多月，又有兩個小孩，若要他們乖乖走不那麼容易，我怕你們無法趕他們走，才特地回來處理。」

我聽完話，馬上走到櫃台一查房客登記卡，果然發現三號的房客明天要繳租，這是白人家庭又有小孩，先生在酒巴上班，太太待在家裏，極少外出，因爲他們只有一輛車，據我所知，他們算是好房客，從來不會惹事，或有任何麻煩到經理房來控訴。

我說道：「兩星期前，他們不也按期繳錢了嗎？明天大概沒問題吧！像他們這樣不惹事的房客走掉，蠻可惜。」

貝蒂語氣很堅決地說道：

「四個多月前欠我們一個月房金，一共八百元，他們說好明天要跟下週租金一齊繳來。上週四早晨，他們還特地打電話來聖地牙哥告訴我，說若明天繳不出來，可能會搬走。我的意思是，乾脆給他走算了。」

接著，貝蒂又說：「我就怕他們明天不乾脆，不肯搬走，才特地趕回來。我們很清楚，他們收入不夠開銷，曾向別的房客借過錢，像這種太窮困的家庭不會住太久。你們應該對每個房客的工作和收入狀況打聽清楚，這一點很重要。當然，問話要用技巧，才能聽到可靠的訊息。若發覺他們收入不多，或有不良嗜好，如酗酒、吸毒等，就要格外注意。這時，若他們想要欠房租，絕對不能同情，馬上趕他們走，叫他有錢再回來，房間會保留給他。窮人絕對靠不住，我們也不能幫他們忙，對他要兇、要狠，否則，自己將來會吃大虧。」

我們聽了有道理，知道他們依據經驗得來的教訓，懂得對付窮房客或兇客人，才能經營汽車旅館。

妻問貝蒂說道：

「若他們懶著不走，有沒好辦法？」

朱老闆坐著猛抽煙，眼睛微微閉著，似乎在沈思，沒有答話，但聽貝蒂說道：

「先用好話請他們搬，若是無效，謊說暫時搬出行李，讓我們粉刷和整修一下，只要他們東西一搬出去，趕緊關上房門，別讓他們再進去。至於以後修不修護，他們管不著。若騙不走他們，就改用恐嚇，說要叫警察，你到底搬不搬？其實，加州法律非常照顧窮人，規定住滿一個月，房東不能趕他們走，必須告到法院。這一來，我們要出庭，當然最後是我們贏的，可這樣前後一算，可能得拖延三個月才會依法執行，去強迫他們搬走一切，結果一算，我們損失大了，不但勞民傷財，還要受許多氣。有孩子的家庭更麻煩，連警察都不敢隨便趕走他們……反正我們明天看情形怎麼辦？」

我又向他們報告兩家旅館的營業狀況，一切平安，沒跟什麼壞房客爭吵過，生意微升，但我又補充說道：

「生意這種東西真難講，有時連週末也清淡，有時白天不怎麼樣，一到深夜陸續有人上門。」

妻連連打了兩個哈欠，我首先起立，說道：

「對不起，我們要休息，不然明早起不來。」

朱老闆夫婦不吭聲，妻先進去臥室，我也心想，若不趕緊離開，陪他們窮聊，吃虧是自己，他們睡到中午，而我們待天一亮，就要忙著作業。

其實，客廳我們的臥房沒有牆壁隔音，中間只用一枚寬大的窗簾布隔開，擋住客廳的人的視線，他們的說話聲當然聽得清清晰晰，無奈，他們非常自私和缺德，無視我們正在旁邊休息，依舊肆無忌憚，談笑風聲。雖然，我以前也曾抗議，但很快又無效了，我也沒有再繼續抗議。

深夜甜夢中，雖然來了兩次客人按門鈴，都由妻起來招呼，登記卡片，收錢，給房間鑰匙……前後約需五分鐘，我依稀在耳際間聽到客人偶而討價還價，之後因爲倦極累極，直到早上鬧鐘聲響，才匆匆起床。

整個早上我都在清房，妻忙著辦公室和經理房的內外打掃，直到午後兩點才見朱老闆一家人起來，他們兩個孩子在門外玩球，我在修理水龍頭和房間打掃，直到黃昏返回經理房時，朱老闆一家又不見了蹤影，我問妻說道：「他們怎樣趕三號房客？」

妻答說：「老闆娘貝蒂先去敲三號的門，只有房客太太在裏面，她先生不在。貝蒂故意說，你到辦公室來一下，因爲貝蒂猜測對方不會繳租，亦無意搬走，便用調虎離山計，讓房客太太先離開房間，果然她來到辦公室推說先生不在，自己無法搬走，下個月的今天會一齊來繳租，貝蒂不答應，知道她要賴著不走，便暗中催促朱老闆趁現在三號房內無人，快去把裏面的東西搬出來，動作要快些，同時，貝蒂自己故意在辦公室跟房客太太講一大堆道理，旨在拖延時間，足足談了四十幾分鐘，待朱老闆搬完回來說，大功告成，並把房間也鎖上，不讓她進去，貝蒂才放她走。以後，只見房客太太站在門外大罵說：『你們太缺德，我要控告你們！』片刻後，來了一輛計程車把行李搬走……。」

午聽下，我領悟了趕房客的技巧，同時，也想起黑人區彼得也跟我提過類似經驗，遇到那種情況不能用硬，避免動粗，鬧到警察局會有口說不清，有時反而會吃虧，不如用軟方法，很巧妙地先把房客騙出來，再搬東西和銷房門，那麼，他們不能進去時，亦不敢肆無忌憚破門而入，只要對方敢大膽打破門窗進去，便算犯法了，這時，我們就有權利制裁他們，而他們知道理虧後也會自動離開。

晚飯過後，我們仍不見朱老闆夫婦回來，我們猜測他們可能走了，誰知十點多鐘時，他們的座車又停在經理房門前，我們判斷他們回來搬東西，之後再離去吧？

「這麼晚才出發，回到聖地牙哥不是清晨了嗎？」

妻笑著問貝蒂。

貝蒂答得蠻爽快，說道：「距離好像從台灣的基隆到高雄，趁夜晚方便開快車，路上車少，回到家大約清晨兩三點吧！」

片刻後，他們的孩子果然從樓上提著行李下樓來，朱老闆雙手抱著一個大皮箱，我和妻出經理房外，同時說聲：「再見」，舉起手搖擺一番，僞裝親熱狀，目睹他們的座車慢慢離去，心情才放輕鬆，恢復往日的自在。

之後，大約每隔兩三週，最多一個半月，朱老闆自己或夫婦都必然回來一次，而每次都是等我們看見人進了門才發覺，因為他們從不按門鈴，一則自恃是老闆身份，當然可以堂堂進入，二則想趁我們不防時，突然闖入也許能看到我們在裏面做些什麼他們不樂見的事？起初，我們有些莫名的恥辱感，後來見怪不怪，反正不做虧心事，敲不敲門都無所謂。

我們早有心理準備，這裏不是久居之地，平時曾用電話和信件跟洛衫磯的朋友通訊，請他們隨時幫我們留意有沒有什麼小生意可做？或待遇條件更好的旅館經理職位？

又有一次朱老闆也刻意在清晨一點回來，早已在外面酒巴喝了半醉，只見他一進門，身體搖搖擺擺，酒氣薰人，一隻手拿著著剩餘的半瓶酒，不知他嗜酒如命，還是藉酒消愁？其實我也不知他心中有無愁悶？他曾吐露目前擁有三間汽車旅館，財產總值約有二百萬美金，子孫三輩子也吃不完……不過，我們曾勸他好幾次，說道：

「你雖然有錢喝酒，但烈酒會傷身，尤其會傷肝傷胃，還是少喝為妙，而且酒後開車被警察查獲，懲罰相當重哩！」

誰知朱老闆聽了仍不為所動，反而呵呵冷笑說道：

「不會啦！我喝了十幾年也沒出過問題。」

若在平時，清晨正是我們熟睡做夢的好時機，而今朱老闆獨自坐在沙發上，不顧我們睡眠，照樣打開電視看，好像要我們陪他聊天或問話，我們百般無奈相對坐下，他問一句，我答一句，且長話短說，讓他知難而退，無如，朱老闆常常對我們重提舊話，了無新意，三句不離那幾句老調。

「在美國什麼都談錢，文憑無路用啦！我認識好多博士，碩士朋友，來美國混了好多年，不但沒賺到錢，連自己和家裏生活都沒著落，找我幫忙，可憐兮兮的樣子，我幫不上忙，頂多請他吃頓飯……世間美金最可愛，最有『路用』，其他什麼都是假的。有錢什麼人都會來找我做朋友。……自從我有了旅館，有了不動產，連以前不常來往的朋友，不論在台灣或在美國，都會自動打電話來問好，說話好客氣……。」

每看他說話到此，都不自禁地驀然舉起右手大姆指與食指，勾結成一個空心圈，表示錢的意思，不停地在我們面前比劃，表演，面上露出得意狀；坦述金錢第一，勝過其他一切，或者說，在他眼中，世間除了錢！錢！還是錢吧？

有一次，朱老闆又在重彈老調，表現同樣的手勢，做出那個兩指彎勾的空心圈，妻見了不服氣，笑著問他說：

「難道除了錢重要外，連親情也不重要嗎？譬如……」

我一聽妻說話太魯莽，怕朱老闆聽了老羞成怒，豈不把氣氛弄僵？弄尷尬？我正在擔心時，乍聽朱老闆發出哼！一聲，表情立刻嚴肅起來，同時冷笑說道：

「老實告訴你們，我也不怕你們笑話，我當初結婚身上沒有一毛錢，雙方家長都反對我們的婚姻，我太太娘家蠻富有，而我既沒錢，也沒有勢力，太太學歷更比我高太多，岳父母不來參加婚禮，直到我們來了美國，買下第一間旅館，他們才來看我們……哼！什麼親情？」

朱老闆說話像斬金斷鐵，咬牙切齒，我們聽了默默無語。我心想：「難怪他對世間和人生這樣極端，這樣偏激。」

朱老闆做人處世剛愎自用，有時喜怒無常，有時近乎狂妄，而這使我不願跟他多談，亦不想高攀做朋友。一談及人生世事，我儘量多聽少講，免得惹他牽出太多極端的歪理，何苦讓自己淪爲不幸的傾聽者呢？依他看，只有自己親身經歷的心得才正確，才可靠，其他引經據典的條文與例證，不値一提，因爲那些大道理，大學問不能賺錢，亦不能當飯吃，根本沒有用。他反而慶幸自己書讀不多，卻能任意指揮一群經理，都是大學畢業和留學生。

又有一次，我們聽他趁著酒興，自言自語說道：

「我六歲死了母親，不知什麼親情母愛？老爸白天出外做工，只記得他每天回家都天黑了，他一吃完飯，就去睡覺，沒有精力管教我們。大姊燒飯做菜，又幫我洗澡，家裏沒錢供我上學，一切靠自己出去闖，去摸索，凡事自認爲對，自己覺得好就行，聽別人話都不準確，反正什麼都得靠自己呀！」

說真的，朱老闆一番肺腑的話，有時蠻有見地，他的身世與奮鬥精神令人同情之餘，亦不乏令人敬佩之處。

偶而閒談時，我問朱老闆信仰什麼宗教？旨在找話題打發時間，也想另外開闢談話天地，誰知他完全否定抽象思考，任何知性，藝術與倫理問題，他一概沒興趣，標準一位物資崇拜者，尤其對賺錢與喝酒，最能引發他的興緻。

有一次，我故意問朱老闆說道：

「你們有三間旅館，生活三輩子也不用愁，現在趁星期天，放假日可以去教堂，或去中國城的寺廟拜拜呀！」

只見朱老闆仰望天花板，呈現一副頑強自負的臉孔，口氣冷冷地回答我，說道：

「我可沒時間去那種地方，在美國混日子，時間是金錢，我捨不得花時間去，只有現實享受才實在，才是真的，我有這個，就已經很快樂啦。」

他一說完，不禁笑著伸出右手，指著桌上那半瓶酒了。

朱老闆三不五時透露說，聖地牙哥位於美、墨兩國邊境的大城市，每天都有好幾百墨裔族群偷入美國，他們不是進來觀光，亦非全部都是年輕男性。事實正好相反，男女老幼，攜家帶眷，千方百計潛入美國來謀生。他們都在墨西哥生活不下去，才被迫來美國混日子。

墨幣貶值得厲害，他們在美國工作一週的工資，帶回去能生活一個月，致使他們不避艱險，首先溜進聖地牙哥，在那裏，大街小巷都有成群的非法入境的墨裔，他們茫然地到處躑躅，想先塡飽肚子要緊，古今中外都一樣，民以食爲天嘛！儘管有許多人露宿街頭，美國警察也抓不勝抓，夏天還好，若逢嚴冬或雨天，他們就會想盡辦法找地方過夜，這一來，當地各家汽車旅館就麻煩了。尤其是中低級與小型旅館最常碰到房間，或窗戶被人撬開，溜進去偷睡。朱老闆說道：

「我常去暗察空房，明知裏面沒人，怎會有人在說話，聲音陣陣傳出來？我心想，肯定是老墨偷溜進去，於是迅速掏出房間鑰匙，不聲不響將房門一拉開，果然有人偷睡。他們一看到我進來，驚慌得很，那敢反抗，自知理虧，又不會說英語……。」

我立刻忍不住問，說道：

「你怎樣處理呢？」

朱老闆沒有回答，面露一種奇怪的微笑，既非冷笑，又非獰笑，但含有得意的意味，半晌，才聽他答說：

「這時最好不過。」

「怎麼說呢？」

「他們都會乖乖任我擺佈，惟命是從，只要我說出西班話『警察』兩字，他們以爲叫警察來趕他們回墨西哥，簡直怕得發抖。這時，我要他們繳出身上值錢的東西－手飾，項鍊統統給我，因爲墨西哥女人最愛漂亮，通常身上都佩戴裝飾品，有些蠻值錢的，她們好不容易才越境到美國，當然不肯被捉回去，所以都蠻聽話的……。」

「她們若繳出值錢的手飾，是不是用這做房租，讓她們過夜？」

「那怎麼行？等她們繳出值錢東西，馬上趕她們出去，她們沒被警察逮捕就算幸運啦，繳出東西等於不送她們去警察局。接著，這個房間又可以出租給別人……

我聖地牙哥那間旅館收入最多，像上面那種情況一個晚上可以加倍收入。有些偷睡者身上也帶美鈔，他們準備當路費到別州投奔親友，捨不得住宿用。那麼，我若發現他有美金，刻意收他雙倍房租，他也不知自己多付，反正都蠻聽話就對啦，更妙的是……。」

說到這兒，朱老闆突然停住不再說話，只用雙眼瞪著我笑得很開心，同時向我身旁的妻瞄了一眼，才慢斯條理繼續說：

「老墨的天性嘛！都很浪漫，很熱情！男女性事都很開放，很自由，也不在乎，若遇到年輕女人偷睡，只要看中意，叫她陪你過夜，或短時間溫存一會兒，他們也絕對願意，百依百從。」

「那麼，你也有這種經歷嘍！」我故意取笑朱老闆。

「男人嘛，那個男人不愛野花香？哈哈……」

朱老闆說到這兒，哈哈笑個不停，表示招認的意思。

市區旅館位於鬧街，又是兩街的交叉口，正對面有一間酒巴，規模蠻大，一到傍晚，便有男女進出頻繁，這對旅館有正負兩面的影響，除了能帶來生意，方便情侶來幽會以外，也有時發生糾紛，搶劫不斷的壞處。基本上，所有附近房客都屬低水準，只比黑人區好一些，卻不如伊西旅館，故三不五時招惹警察上門。我每天傍晚來收款結帳，都會小心翼翼，尤其晚上身上懷有現鈔，走出經理房，都習慣左顧右盼，格外提防，看看週邊有沒有可疑的男人？直到車子發動後，離開才能放心。

一天傍晚，我從超市購物的回途中，順道轉入市區旅館。車子一進旅館大門，目睹一輛警車和救護車在停車場上，警車一直發出嗡！嗡！的警笛，我小心把車停在角落，不急著下車，暗想到底怎麼啦？幸好須臾間，那兩部車同時迅速離去。

我下了車走進經理房，麥克站在櫃台前發獃的樣子，我迫不及待問他，說道：

「麥克！什麼事？」

「一個女房客的手提袋被歹徒搶走，袋裏有兩百多元現鈔，她見歹徒要動手，剛喊一聲『救命』，就挨對方一個重拳，雖說她身體結實，手明眼快，臉部剛一閃躲，就來不及被打中左眼，流了許多血，看樣子會瞎也說不定。」

「怎敢在白天搶人呢？太恐怖啦！」

我邊說邊搖頭嘆息。同時暗自慶幸沒來這間旅館。

一天午後三點多鐘，艷陽高照，我到市區旅館隔壁的五金零售店，想多買些橡皮管和小鐵釘，預防平時水龍頭漏水，及其他修護用途，便把車停在市區旅館停車場上，約半個時辰走回旅館經理房，準備招呼麥克結帳，只見一輛高級驕車緩緩駛進了旅館，停在一棵樹蔭下，我不禁納悶：「怎會有高級車進來？難道是什麼貴賓不成？」

我目不轉睛注視那輛車時，片刻後，車門開了，走出一位東方女性，年約五十歲，身材矮胖，裝扮還算時髦，她走向經理房來，倒很吸引我的注意。我立刻猜測：「是日本人？韓國人？台灣人？大陸人？越南人？」在美國的東方人大體不離這群血統或族裔。

她慢步走近來，到了經理房門前站著，我起身向她招呼：「哈囉」一聲，她用英語答聲：「謝謝」。

當她站在櫃台前時，麥克用職業的語氣，正經八百問她說：「你要房間？幾個人？」

她遲疑一會兒，東張西望，一直在打量經理室。之後，她才說道：「我不買房間，只想找老闆談事情。」

一聽她講英語，我馬上知悉她不是土生土長的美國腔，而是台灣所謂羊脛邦英語，我猜想她極像台灣人？

麥克冷淡地答說：「老闆不在這兒，可能兩三星期後回來，但我不能確定那一天……。」

「你找老闆有要事嗎？」我用簡單的英語問她。

在這邊偏僻的小鎮能幸會一個東方人，對我這個初來的台灣人，也算十分難得，倘若對方來自台灣，即使不相識，也不是同姓或同鄉，我也會親切向他（她）談家鄉話和家鄉情，我來美國以後一直如此盼望。而今看她像極一位台灣鄉親，從她的語音與氣質，我始終這樣猜測。

但聽她仍用英語答說：「我要找老闆談生意。」

我又向她解釋一下老闆的行蹤，說道：

「老闆平時不住在歐斯納鎮，他們家在聖地牙哥，兩三星期才回來一趟，你不妨留下姓名電話，待他們回來，我幫你把電話交給他，因爲他也是我的老闆。」

接著，我微笑試探她的來歷，問：「你是台灣人？」

她只簡單用英語說一聲：「是！」既不驚異，也沒歡喜，更沒有反問我也是台灣人嗎？這也難怪，來久的中國人早已淡泊族群意識，缺少同鄉與同胞感情，所以，她才冷冷地說聲「是」而已，沒有興趣扯下去。

「那麼，你從台灣來的？」我不知趣地再問下去。

「是！」她點點頭說。

「你會說台灣話吧！」

「當然會，你是台灣人嗎？」

對方終於雙眼瞪著我問，似乎動了鄉情或好奇的樣子。

「我是台灣新竹人，剛來歐斯納鎮幾個月。」

我開始興奮地用國語答話了，頗有「他鄉遇故知」的心情。

「你跟這間旅館老闆很熟嗎？」

她的語氣仍然冷漠，顯然不稀罕遇到台灣同胞的樣子。

麥克聽到我們不講英語，顯得很納悶和無趣，便坐在一邊看報紙了。我順便向她解釋一下自己眼前的職務，她聽完後，又用國語向我打聽：「你有沒有聽說這間旅館要賣？」

「他家的事，我從不過問，也根本不知道。」

「你知道這間旅館一個月可做多少生意嗎？」

老實說，目前除了麥克夫婦和朱老闆夫婦以外，只有我最清楚這個答案。雖說我跟朱老闆夫婦談不上有任何友誼，亦沒有深厚的和諧關係，只是主顧的對立身份，勿寧說，我們對他們還懷有憎惡之情，但我仍堅守一個忠實夥計的原則，盡量替老闆保守業務秘密，也爲自己堅持職業道德，而不輕易向一個陌生客洩露任何旅館的秘密或缺陷，對方來歷不明，非親非故，也許是產業間諜，商場如戰場，弔詭處處存在，我怎敢等閒或大意？於是，我斬釘斷鐵告訴她說：

「這種事我怎麼知道？」

同時，我要她留下姓名電話，也許幾天後朱老闆回來，我一定將它轉交給他（她），對方欣然說「好」。

接著，我很快抓住機會改變話題，開始問她來了美國幾年啦？目前住那兒呢？家裏狀況如何？她說話慢斯條理，國語並不流利，勉強表達意思而已，難得的是，她不會見外，有問必答，非常坦爽，一聽就知她十分美國化，完全美國人的習俗。

大約談了一個半鐘頭，雙方總算有了基本友誼和相當程度的互信，她告辭時，我毅然告知我的電話和伊西旅館的地址，並約她有空來訪，見見我的家人。

她英文名叫安妮，原籍彰化縣，十多年前，下嫁一個美軍士兵。當時，她的父母親和朋友們都反對這門婚姻，但她堅持嫁給意中人，因爲那時台灣的社會風氣仍然保守，美軍駐紮台北與高雄的人數不多，鄉下人罕見膚色不同的族裔，都說她被美國人騙去，婚後一年隨丈夫回美國定居至今，意謂她來到歐斯納鎮的軍區定居以來，沒有到別處居留過，算是歐斯納鎮的老居民了。

安妮的丈夫已經退伍在家裏，每月可以安享若干數目的退休金，但仍不夠維持家庭的生活開支，因爲家有兩男一女讀高中，生活費不輕。幸虧安妮能幹又節儉，不完全隨俗過美國式生活——週末上館子，享受輕鬆的娛樂，定期度假……等開銷不少的節目；反正她相夫教子之餘，更知生財之道；譬如東挪西借，結交本鎮幾位醫生太太，兼做房地產和公寓出租等，都能開闢家庭財源。

近十年來，安妮才略有儲蓄，生活談不上闊綽，卻也不必操心各項開支和兒女的學費。近年她有意更上一層樓，想進軍汽車旅館業。首先，她無意到外地發展，以免失去相夫教子的義務，於是開始在本鎮做一番紮實的市場調查，期間，她看來看去都覺得這間市區旅館的位置，造型與規模頂不錯，又聽說老闆是個台灣人，於是她今天上門找朱老闆。

以上是安妮的談話概要，我也相信不疑。

這時候，我忍不住敬佩她的機智，能力和氣魄，當年她英語不通，僅有高中畢業的程度，身上亦沒什麼錢，竟敢離鄉背景，遠來異地孤軍奮鬥；那時，歐斯納鎮肯定沒有幾個東方人，遑論台灣人或中國人；她可說是個十分勇敢的女強人也不過份。

一個多星期後，一切都在我的預料中，朱老闆夫婦又在一天深夜回來。次晨，我打電話給安妮，她立刻表示下午要到這裏來訪，請朱老闆夫婦別走開，若不能等，請朱老闆安排某日某時在某地見面也不妨。結果，朱老闆允諾下午三點半在伊西旅館接見安妮。

果然，安妮準時來訪，在他們談話時，我們藉故離開，妻到停車場打掃，我去巡視每一間空房。

經理房是單獨的兩層樓房，跟出租房間分開，雙方遙遙相對，而經理房的後院面積約有一百多坪，像L字形，其中有一個游泳池，四周種有高達兩三丈的楓樹和無花果，每當海風吹來，樹葉紛飛，煞是好看。倘若三，四天不掃地，樹葉很快會舖成一層像黃金地氈一樣，這份作業通常由我負責，但妻不時嫌我掃不乾淨，偶而也來協助，她的動作奇慢又仔細，彷彿雞蛋裏挑骨頭，不讓地上留下一片葉子，這一點連老闆夫婦也曾經讚嘆過……。

大約過了一個時辰，我還在外邊倉庫內翻箱倒櫃，修理舊沙發和舊椅子，只見妻陪著安妮走前來，妻說道：

「安妮要回去，你忙完了嗎？」

「安妮，你談得怎樣？」我放下手上的作業，靠在門窗站著問她。

「朱老闆狗眼看人低嘛！一直追問我錢怎麼來？先生做什麼事？哼！我家的事何必他管？看他們半百年紀，在社會上混得那麼久，怎連做人最起碼的常識也不懂？在歐斯納鎮，不是他才有旅館，我知道其他幾家旅館也想賣，果真在歐斯納鎮買不到，也照樣可到別處買，我不是一定要向他買……。」

安妮像是動了肝火，臉色不好看，儘管她前次說話慢斯條理，修養工夫頗佳，而今發了脾氣，始知朱老闆夫婦惹火了她。

我建議她，說道：「你說得對，不妨多問幾家，附近城市也可以去。你初次幹這一行，更該想清楚再下手，不必急著買呀。」

妻陪著安妮參觀一下環境，我先回經理房去。

晚膳過後，朱老闆吐露：

「我本來不會變賣財產，反而再想買一間；不過，她若出得起價錢，我連伊西這間也肯賣給她，看她先生是個退伍軍人，那有本事買得起這麼大的旅館，哼！她還好意思出這樣價錢，做夢嘛！虧她來這兒住了十幾年，現在市中心一帶的地價猛漲，我們光賣土地就不止這筆錢，何況，還有二十個房間的地上建築，她想得美喔！」

我默不作聲，朱老闆亦無可如何。妻忙著收拾餐桌上的餘渣碗筷，老闆娘貝蒂把行李搬出去，我們的孩子也心裏有數，喜上眉稍，知曉他們又要回聖地牙哥去，之後，大家又可以恢復輕鬆好日子啦。

美國電視節目相當豐富，可用多彩多姿，五花八門來形容，一則表現製作人員的水準高，肯動腦筋；二則襯托多族裔社會的多元文化，大家相互包容，彼此欣賞，反映這個移民國家的真正特色。我們家人一齊坐在電視機前面，妻和我只能觀賞畫面人物的動作與布景變化，憑動作表演來猜測其大體內容，因爲我們的英語聽力還很差勁，只能聽懂幾句和若干單字，那怕內容對話趣味橫生，曲折感人，我們無福也無能耐享受，反見兩個孩子凝神注視，三不五時發出開朗笑聲，我們夫妻聽到不禁暗喜：「孩子的英文進步啦，也不枉費我們一番心血，妻有時急迫地央求孩子，說道：

「他們到底在說什麼？快講給我聽呀！」

聽了孩子們的口譯，我們才多少分享得到電視樂趣，可見我們適應新環境的過程多麼艱辛，在在爲了語言不夠好而吃盡苦頭。例如跟房客爭辯，警察前來查詢時，因爲我們的英語辭不達意，許多生字臨時記不起來，變成有理說不清，反而被無理的對方佔了便宜，讓警察以爲我們小題大作，給了壞房客反敗爲勝，我們一時氣得忍不住用國語罵他說：「真是王八蛋。」

還有朱老闆曾在電話簿，週刊雜誌和地方新聞刊登廣告，致使有人打電話問房間，或打聽從那條街到那條街才能來到這裏？若不能馬上在電話中講清楚，往往失去商機，老闆在場聽了會罵我們說：「怎麼英語還沒進步。」於是，特地爲我們請來一位外國女房客協助，前後大約一個月，直到我們能完全活用職業的術語爲止。

又過了一星期左右，春寒料峭，夕陽的餘暉斜照在旅館房間的玻璃窗，顯得格外溫暖和明亮。安妮忽然來電話，問朱老闆在嗎？我說不在，她又問大約一刻鐘後來訪可方便？我歡喜答說：「非常歡迎。」

二十分鐘後，安妮穿著一套藍色短衫，搭配淺咖啡色的長裙，珊珊走進了伊西旅館的經理房客廳。她仍然氣恨恨地指責朱老闆夫婦，說道：

「姓朱的欺人太甚，開價太離譜了，若依他開出的價碼，我在別處可以買到更大，更好的旅館。坦白說，一個多月來，有過好幾個深夜，我自己開車到市區旅館暗察停車場上幾輛車子？估計一下賣出多少房間？營業額可能有多少？我心裏有數，才不去討價還價，不買也罷。」

妻說道：「我不說你也應該明白，除了深夜去暗查他們的停車數量以外，如果勤快，想要更準確的數字，應該天一亮就去旅館停車場繞一趟，細數多少輛車子？光看建築物外觀和房間設備來議價，實在很危險。聽說一位台灣來的買主就這樣冒然下手，結果半年不到，每月開銷和分期付款就把他拖垮了。總之，有沒有生意最重要，千萬別光看外觀的建築物，和多少個房間。」

妻把自己幾個月來的經營心得傾囊相授，免得有意插足旅館業的安妮吃了大虧，後果不堪設想。

「沒錯，我不能總在歐斯納鎮調查這幾間旅館，據幾個朋友透露，北加州觀光區也有不少旅館值得去看，值得考慮，價錢也蠻合理。如果不得已，我也有可能去，反正我孩子也長大啦。」安妮坦述自己的立場。

我也說道：「旅館地點是最重要的條件，或賺或賠，全看旅館位置。例如造在高速公路進出口，或附近，肯定比在市中心好，周圍千萬不要有學校，教堂和市場……。」

安妮點頭說道：「對。」她贊成今後要依照我們的意見來選購，還希望聘請我們一家去幫她經營。

話題轉到家庭與兒女教育問題，她奇怪地問我們，爲何千里迢迢來到美國？在台灣幹那一行呀？

「我們都是當老師，太太在中學教了十八年，再過七年可以退休，我們爲了孩子來美國。」

我說得簡單明白，針對問題回答。

不料，安妮反而更迷惑地問我，說道：

「你們有這樣好的職業，夫妻都能教書，生活很舒服，難道孩子教育出了問題？何必要送來這裏讀書呢？」

安妮說道：「近來，我聽說許多台灣父母喜歡送孩子來美國讀書，其實，這裏也不是非常好。這裏許多事情不是台灣父母親能夠想像的，例如孩子讀了美國書，就會十分美國化，連三餐飲食都愛吃美國食物，像我每天給他們燒中國菜，他們反而嫌說，中國菜這樣不好，那樣不好，不適合胃口；另外，有許多麻煩也不是台灣父母親能夠溝通……。」

我說：「既然來啦！我們不計較那麼多了，以後走一步看一步，眼前還是現實生活最要緊。」

誰知扯到孩子教育，安妮言猶未盡，還有不少牢騷，只聽她幽幽地埋怨說道：

「在美國，孩子的地位跟父母，老師形成平行關係，彼此像兄弟姊妹，他（她）對父母不像長輩對晚輩，可以任意呼喚，缺少倫理觀念……反正親子關係跟台灣大不一樣了。」

妻聽了也笑著說道：

「時代變啦！台灣孩子跟我們那年代也很不一樣，反正一代傳一代，美國教育的優點比較多，人人這麼說，我們不久會發現的呢？」

安妮坦露自己的出身與家庭生活，如怨如訴，但也滿懷壯志雄心，頗有女中豪傑的氣慨。她說丈夫退役多年，一直待在家裏，不肯出去找事做來補貼家用，反而愛抽煙喝酒，暗地裏去找女人，標準美國男人的生活態度，不把子女教育當做父母親的責任，每當安妮責問他這一點，丈夫卻滿不在乎地抗辯說道：

「我的父母親也沒讓我讀過多少年書，結果還不是靠自己去闖出來。讀那麼多書幹嗎?高中畢業足夠啦！」

安妮一說到此，氣得粉臉變色，後悔當初不找個台灣丈夫，免得像現在要獨自負擔家計與子女教養的重任。丈夫的退休金只有月薪區區幾百元，其中半數給他自己零用。窮困情況到這種地步，安妮不忍心兒女上不了大學，更不願家庭長期窮困下去，於是，她一面苦勸丈夫停止所有不良嗜好，一面絞盡腦汁去開創財源。

在那種情況下，安妮不但不渴求娘家寄錢來協助，反而經常省下些零用寄給台灣母親和妹妹，真正表現台灣傳統女性的德行。

那些年，歐斯納鎮居住五位台灣醫生，他們都來自台灣，且都講閩南語，安妮設法去結交那些醫生太太，果然如願成了蜜友，保持頻繁的往來。不久，安妮才開口向她們借錢，加上銀行貸款，開始穩紮穩打做起房地產來。

皇天不負苦心人，安妮僅花兩年便賺了一筆，接著，她又大膽踏出第二步，再投資公寓生意。她先買下破舊的公寓，費盡心機，勸導丈夫不要閒在家裏，應該自己去修護，去整理，不必花費昂貴的工資，假手於工人，修成後又高價租出去。這一來，錢滾錢，愈滾愈多，當然解除了窮困的家境，也有了子女的學費。期間，她的心理壓力蠻大，擔心現金支出多，憂慮調頭寸，和房客的事情，樣樣都靠她出面解決。丈夫只負責硬體修護，其他大小事一概不理會，她的長子麥克始終都不忘稱讚媽媽，說道：

「幸虧媽媽會動腦筋，我們才有自己的房子住；要是靠爸爸，那麼，今天什麼也休想，也許大家都要在街頭流浪。」

安妮一說到大兒子麥克，立刻眉飛色舞笑了起來，好開心的表情，她說道：

「麥克只要看見我不快樂，他也快活不起來，他曉得媽媽的壓力大，於是他會安慰我，命令弟妹不許煩我，說真的，只有麥克最了解我這個媽媽。」

此外，安妮透露了自己的出身，也充滿許多坎坷的回憶。她說少女時代過得很辛酸，只見她忽然眼淚奪眶而出，如怨如訴說道：

「我爸爸早死，媽媽扶養我們五個姊妹成長，相當辛苦。那些年，台灣沒有外銷工廠，要打工也沒有機會，每個家庭都窮苦，既沒新衣可穿，三餐也吃不好。我家尤其貧苦，我爸沒留下財產，只有一棟破房子可住。我媽在一位醫生家煮飯和洗衣服，常常把他們家的剩飯剩菜帶回來，有時連她在那裏應吃的份，也捨不得吃，偷偷帶回給我們吃。媽媽辛苦一輩子，我們都明白，姊妹們都很聽話，但很奇怪，媽媽對我特別沒有緣，我排行老三，我姊姊身體很好，但媽媽偏叫我做所有大小工作，從小就強迫我洗全家人的衣服，燒飯和煮菜，有時去田裏種菜，甚至不讓我上學。反正我小時候很不快活，不懂玩樂或遊戲的滋味。只知一天到晚工作，工作……那時，我只會怨嘆自己命苦。每當我向自己的孩子提起往事，他們紛紛爲我抱不平，埋怨外祖母虐待我；要是在美國，這樣的媽媽會受到法律懲罰。我只有向孩子們解說，這是佛教所謂母女緣淺，前輩子兩人有過某種不愉快的因緣，才讓我這輩子來還媽媽的債，因爲凡事都有因果，沒有任何一件事是沒有原因，會突然或偶起發生的……。」

安妮談到此，不斷用手帕擦乾淚水，望著窗外，露出無限悵惘。我們不停地用好話安慰她，妻說道：

「事情過去就算了，不要一直停留在回憶裏，這樣等於折磨自己，永遠活在怨恨的陰影下，有什麼意思呢？」

我接著說道：「每個人的一生，也不是什麼事都能順利，在逆境時尤其要看開些。」

這是老生常談，但聽在安妮耳朵裏，也多少能產生些作用，只看她點頭說道：

「對！應該這樣；人不會一輩子倒楣，不愉快絕不會一輩子跟著人走，除非自己不爭氣，不論我婚後有多麼辛苦，我也沒掉過眼淚。譬如我先生不會賺錢，他只是個小兵退伍，孩子頑皮搗蛋，還有其他煩惱都打不倒我，不會迫使我向環境投降。我常常想，這是我從小忍耐出來的習慣，以前媽媽近乎虐待我，讓我沒有辦法，心情萬分委屈，才能培養出毅力。我剛來歐斯納鎮時，別說沒有台灣人，恐怕連中國人也沒幾個，只有郊區有日本農場，偶而看到東方面孔，住在這種荒涼寂靜的地方，言語又不通，荷包錢也不多，我照樣克服煩惱，照樣活得下去，一想到這裏，我也不再埋怨媽媽了。反正人生變化很難說，童年辛苦坎坷，以後才有能力和勇氣奮鬥。

我小學畢業後，媽媽不讓我升學，硬要留我在家做事，姊姊反而可以升學，一年後，我才得到貴人幫忙，讓我繼續升學。那位貴人是我伯父，他在台北做生意賺了錢，心腸慈善。每次來看我們，都會給我們姊妹一筆錢用，後來，他聽說我不能上學，馬上告訴我媽說，他會負責一切學費，務必讓我升學，於是，我才能一直讀到高商夜間部畢業。

畢業後，我不再想接受伯父幫忙，其實，他已經幫了我家很多年。我想，人人都要靠自己奮鬥，不能一直仰賴別人。所以，我來台北找事做，先到百貨公司當店員，之後到美容院學化粧。幾年間我都捨不得花錢，反而一直寄回去給媽媽和姊妹們用，直到我婚後來美國，孩子一個個生下來，我生活再窮苦，也盡量省下一點錢寄回去。幸虧那個年頭美金值錢，郵寄幾十塊回去，可以換好幾百塊台幣。我自己上市場都買最便宜的菜，連豆腐也捨不得買。結果營養很不好，讓我的牙齒逐漸鬆弛了脫落，現在，我整排牙齒全是改裝的假牙，你們看！」

安妮果然張開口，露出兩排雪白與整齊的假牙，若非她親口說明，我還以爲她天生兩排好牙齒呢！妻聽了特別感動，只見妻的表情隨著安妮說話不停地變化，時而憂愁，時而開朗，有道是「女人心腸特別軟」，果然不是無的放矢。妻一直安慰安妮，說道：

「人不會一輩子落魄，你現在生活很安定，孩子長大也很聽話，不像美國孩子那樣缺少親情，雖說你先生不會賺多錢，但他肯乖乖聽話幫你修護公寓，可以省下一大筆錢，讓全家能夠團聚，享受東方人的天倫快樂，也是你以後付出那麼多，所換來的代價，人生本來如此，不能十全十美，你就不要再想那麼多啦！」

妻說得合情合理，安妮聽了點點頭，說道：

「我若是看不開，想不透，還能挨到現在？如今我雄心萬丈，反而覺得有更多事情要做。不僅是自己的家庭孩子，還有別的事業也不能放棄。我心想，若這樣默默死去，很不甘心。在台灣，我沒有什麼學歷，也不是出身高貴家庭，不認識什麼有辦法的人，很難有什麼大發展，我才會跟著丈夫來美國努力創業。」

「我真佩服你的勇氣，你有眼光，有魄力，也真能幹。我跟你相比，樣樣不如你。我覺得真慚愧。其實，我小時候境遇跟你差不多，從小缺乏母愛，家裏也窮苦，也靠自己努力才讀完書，卻沒你這樣有成就。」妻這樣說。

所謂「酒逢知己千杯少」，跟知心朋友促膝談話也跟這個道理一樣，安妮似乎把我們看作好朋友，我相信她在歐斯納鎮難得有人肯跟她促膝而談，一談就滔滔不絕，唯恐自己心中的事沒有談完。只聽她又繼續說道：

「記得童年時期一件事情，到現在仍然讓我受益，我家附近有一座小廟，香火鼎盛。我常常帶妹妹去那兒玩，看人們又跪又拜蠻有趣。他們說，佛菩薩很靈，只有誠心跪拜他，那麼，有求必應，若遇到什麼困難求他，也一樣能得到保佑。因爲小時候記得那句話，來到美國遇到無數困難，我自然養成念佛拜佛的習慣。結果回想一下，我果然都能逢凶化吉，逐漸找到自己的方向。尤其，讓我發現了自己的心靈世界，那個世界真美麗，真自在。剛到美國那幾年，丈夫早出晚歸，我沒有一個朋友，寂寞得快瘋掉；有時忍耐不住，真想把孩子帶回台灣住算啦。後來，日子忙礙些，才慢慢習慣下來。那時，洛杉磯中國城有一間寺廟，偶而寄些佛書給我，我三不五時打開來看，不久，愈看愈有心得，才發現自己也能成佛，也能解脫煩惱。從此以後，我的精神才有了皈依，心緒才穩定下來，才慢慢思索怎樣開創事業？若一天到晚心神不定，那什麼事也做不成。」

這時候，我終於開腔了，我說道：

「我們現在的處境，跟你當初剛到美國時一樣。萬丈高樓從低處起，做任何事都先要心神安定，觀念正確。若要這樣，首先得有正確信仰，我看美國科技這樣發達，同樣地，美國人上教堂也很熱衷，成群結隊，證明有了科學，生活和精神仍然空虛。」

安妮贊成我的意見，她說道：「美國人信仰很虔誠，否則恐怕每年都有許多人發瘋，自殺。好啦！信仰問題以後再談，今天不是來傳教……上次來見過你們老闆，他們不通人情，說話不厚道，苛薄得要死；我在回途一想到他們問話，心裏好笑又好氣，我想，跟他們多談無益，難爲你們在這兒受氣，但你們別氣餒，多學些旅館經驗，說不定我一買到旅館，就要聘你們幫忙。」

妻說道：「你有空隨時來玩呀！但要先來電話，免得來了碰到我們的老闆。」

安妮起立後，回頭望了一會兒，注視背後的廚房，說道：

「廚房蠻大嘛！看起來舒服，可惜要跟這種人共用，要是自己獨用有多好，設備這樣齊全……。」

安妮告辭後走出經理房，跨入她的座車，仍望著我們說道：「家人不知道我來你們這裏，他們以爲我去超市買菜，若再不回家燒飯，他們都不會先動手，平時依賴我慣啦！」

果然車子一發動，安妮極快地離去。

歐斯納鎮遠比洛衫磯黑人區附近的風光美麗得多，房屋格調和家屋四周的樹木，花草也比黑人區一帶壯觀得多，尤其難得的是，歐斯納市區不遠處，除了一面對著海邊，其他都是整潔的住宅區，從房屋設計與大小看來，好像大家的經濟程度相差不遠，沒有極富與極窮的鮮明對立，都是上班族群或中產階級。空閒時，我開車去郊外觀光景色，察看地理環境；也遊逛市區大街小巷，以及主要機關所在地。

在美國，歐斯納只是一個微不足道的小市鎮，像這樣平淡無奇的地方，在美國恐怕超過一千個也不止，但見本鎮周邊擁有一望無際的田野，並非像台灣一塊一塊的稻田，這裏都是大農場，種花生，玉米和蔬菜，沿著田邊柏油路開車，望著窗外，農田景色格外迷人。

我們夫妻都出身新竹縣的農村家庭，從小到大都接觸農夫，農田，菜園，樹木和花草，而今我又幸會這樣的情景，簡直如醉如狂，心胸非常暢快。可惜，妻不能同時出外，必須留在經理室監督，即使孩子有時陪我出來，他們卻不覺什麼稀罕，不會特別賞心悅目，因爲他們沒有生活在農村的經驗。

一天清晨，天藍雲白，妻還留戀著床上，孩子們已經吃完早餐在客廳等候，我匆匆披著外衣，準備送孩子們上學。不料，我們打開房門，一腳跨出門外，不禁吃了一驚，怎麼朱老闆的座車停在房門左側呢？昨夜既不見他回來，現在亦不見他在車子內，人跑去那裏呢？幾時回來呢？我一肚子納悶，趕緊將此事告知睡在床上的妻。妻醒了，半晌不語。之後，妻說道：

「他心血來潮，回來突擊檢查吧？我猜他走到附近吃早點，不然，就在附近巡視。」

我發動車子，熱了一會兒，左顧右盼，仍然沒有看見到朱老闆的蹤影，不管那麼多了，我開車送孩子上學去。

半個時辰後，我趕回旅館，下了車走進經理房，只見朱老闆獨自在客廳上悶坐，那副冷酷的表情依然沒變，一看見我，故意掉頭向左望，一句話也沒說，我也冷冷問他一聲，說道：「回來啦！」只聽他呼應一聲：「哦！」當我轉身要出去，他卻忽然問我，說道：

「有沒有什麼要修護？我馬上要回去聖地牙哥。」

我聽了暗吃一驚，望著朱老闆問說：「你不是剛回來嗎？」

「我那邊有個房間少了爐灶，這裏多了一個，我才特地回來拿，現在要趕回去。」

「你昨夜才回來，馬不停蹄，兩地距離等於從基隆到高雄的車程，不休息一會兒，又要趕回去聖地牙哥，鐵打漢子也吃不消，何必這樣辛苦呢？身體也要緊啊！」

我覺得很意外，爲了一個爐灶，他有必要老遠跑回來嗎？那裏沒得買嗎？省這點兒錢幹嗎？

朱老闆說道：「在美國要吃得苦哩！若不，怎能站起來呢？」

他聽說這裏不必修護，立刻提起皮箱，連一聲：「我要走啦！」也不說，且頭也不回地開了門跨出去。當然，我也不出聲，心想：「你快走快好！」

朱老闆的座車離開了停車場，我才放心問妻，說道：

「他果真爲了爐灶回來？還是有別的原因？」

妻答說道：

「他一進門就開口問昨晚生意怎樣？我說只租出十四個房，他反問我：『不是租出十五間房嗎？』我馬上反駁他：『怎會十五間呢？你去查查看吧！別懷疑我騙你。』他才沒話說，可見他疑心我們做弊，偷賣房間。我很氣他，以小人之心來猜忌我。」

「不過，他的工作狂和苦幹，倒讓我敬佩。當了老闆不愁吃，不愁穿，還要這樣認真打拼！」

妻同意我的看法，也默默點頭。

那天午後，我剛剛把孩子從學校接回來，一進停車場就望見一輛紅色車子停在經理房前，我心喜安妮又來了。

安妮今天來訪，主要向我們敘述幾天前，她到北加州看了幾間汽車旅館的心得。她說，那邊旅館開價亦不便宜，雙方的價碼差距頗大，幾乎讓人考慮的餘地也沒有，致使安妮有些焦灼的樣子。我們勸她不必急，慢慢找，寧缺勿濫，否則，即使買到手上，吃大虧懊悔不及，不如不買。我們重複上次的意見，同時強調眼前旅館買賣極不正常，供不應求，其實這一行業也未必容易經營。

旅館的事談一段落，安妮把話一轉，便談起她的信仰來，期間，妻又舊話重提，提出自己的意見，說道：

「其實，信什麼宗教都一樣，目的都是勸人行善，只要不做壞事就行。」以前，妻每次跟我談到信仰問題，也是這個結論，逼得我啞口無言。然而，安妮聽了不以為然，說道：

「表面上，這樣說沒有錯，其實，這是一般人和外行人的想法。你別誤解我的意思，這種話極膚淺，因為各種宗教內涵不同，層次有高低，所以差別也很大，我是個佛教徒，我認為佛教不是一般宗教，甚至說不是宗教，乃是一種生活寶典，當然，這個理由不是三言兩語能說清楚。」

「我經常聽人說佛法無邊，人生無常，覺得蠻有道理，可不知它怎麼解說？」

我聽了安妮的話，怦然心動，無奈，我對深妙的佛法了解有限，毋寧說，仍停在人云亦云，民間信仰的模糊階段，故很想聽聽安妮的解說，尤其在這種心神不定，事業茫茫的現階段，格外需要心神安定，才能生出力量。

或許安妮洞悉我的心意，只見她喝了一口茶，之後注視一下我，又看著妻才說道：

「我上回說過了，剛來美國那幾年，不但氣餒，苦惱過好一陣子，甚至絕望，很想拋棄丈夫回台灣去。之後我所以能奮鬥下去，一方面得益少女時代，家境貧困的磨練，培養出來的堅毅，另方面是佛教給我的啓發。談到後者，便是佛教講因果，因緣和無常，世人不太懂它的意思，只知字面解說，其實人的生活裏都能顯而易見它的存在。例如無常在生活上面說，就是苦惱不會永遠隨著一個人，即使昨天，今天有很多煩惱，到了明天也許不存在，那麼，我們何必執著它，或被它縛得死死呢？再說你們老闆對人這樣苛薄，看錢比天還大，眼裏沒有一點人情的存在，別以為現在有幾個臭錢，就目中無人，其實，他不知道自己默默在造惡因，遲早會有惡報……。」

不待安妮說完，我便插口說道：

「你講得蠻有道理，也打動了我的心，看樣子，我希望你以後常來解說佛法，覺得人不一定要每天膜拜和吃素，在生活上理解佛理，也能得到很多受用。」

妻又接口說道：「小時候，我家旁邊有一座寺廟，每次要升學考試，我都和姊姊去焚香禮拜，保祐我榜上有名，那時，我分不清楚拜的是什麼神明？文昌廟或佛菩薩；反正家裏遇到節日也去拜拜，根本不知那麼多哲理，而且也不在乎拜什麼對象。」

安妮聽了笑起來，說道：「你果然不懂佛法，雖然有人說，人有信仰，總比沒信仰好；其實，只有正確和理智的信仰才有用。迷信或誤信有時很可笑，也會害死人，至於什麼叫迷信？什麼叫正確的信仰？我一時也說不清，說出來你們也未必能領悟，還有更要緊的是，佛教是入世，積極，奮發向上，而不是出世，悲觀和消極的理念。」

夕陽西下，微風從窗口吹進來，讓大家忽然有了清涼的快感。我告訴安妮說道：「我偶而也有空閒，請你下次來時，順便帶幾本佛書借我讀。俗話說『佛度有緣人』，看看我跟佛有沒有緣份？」

「你找個時間來嘛：最多開車半個小時。」安妮邊說邊掏出一根藍色筆，和一枚紙條，她在紙條上劃幾個小圈圈，再從這個圈拉一條線到另一個小圈，之後將那條線通到一個三角形，表示從伊西旅館到她家的路線，並在三角形旁邊，註明門牌號和街名，同時吩咐我怎樣走捷徑？怎樣繞道某家大樓，就比較容易辨認和方便。

此外，安妮約略點出歐斯納鎭的特殊性，這裏既是漁港，也是農業區與避暑勝地，不妨向老闆請幾天假，她願意當導遊，陪我們全家痛快玩一陣子，若被老闆一直關在旅館內當犯人一樣；她說不必爲那種人賣身賣命……。

妻嘆了一口氣，說道：「朱老闆夫婦只知埋頭工作，口口聲聲賺錢最重要，所以從來不體諒別人，用自己的標準，強迫別人接受。起初，我們要求一個月至少給兩天休假，否則太疲勞。結果，他們反而譏笑我們說：『沒錢收入，有什麼心情好玩呢？』害我們自討沒趣，以後就閉口不提放假的事了。」

我補充說道：「老實講，現在有沒放假對我個人倒不重要，因爲我每天籌劃怎樣自立？怎樣謀生？怎樣早一天脫離打工生涯？全家窩在這兒看人臉色過日子，心裏非常難過。」

妻向安妮說道：

「我一直想請教你，你來美國比較久，知道的事情多些，當然，我們也從台灣帶些錢來，但折合美金只有一點點，而那也是我們所有財產，所以我們要非常小心運用，絕對不能失敗，不知有什麼小生意可以做？」

安妮聽了沈思半晌，同時點一點頭，表示贊成我們的意見，之後若有所思地答說道：

「小生意當然有，不過，不是所有小生意都有錢賺，例如炸魚店，咖啡店，烈酒店……都不必太多資本，但做起來很辛苦，勞心勞力還不一定有高利潤。我想，賺自己的工錢沒有問題。在美國做小生意也要相當謹慎，例如租店面要訂契約，三年或五年，契約時間不到，縱使做虧本也不能解約，不做也不行，照樣每個月要繳租，這一來也許會連老本也賠光。反過來說，如果生意好，又怕房東看了眼紅，要收回自己幹，所以要相當考慮才好。這裏不像台灣，有時急需錢用，只有靠銀行貸款，私人間沒有借錢習慣，再好的朋友也沒有金錢借貸，這一點要有心理準備，不過也有例外，像我現在要買汽車旅館，除了靠我平時銀行信用好，可以貸到一筆錢以外，還有幾位醫生太太也肯支援我，這樣，我才有勇氣買旅館和公寓。」

安妮說到這裏，兩個孩子放學了，自己走了回來，女兒十分埋怨地說道：

「爸！我們在教室等了十分鐘，你沒有來，我只好跟弟弟走回來！在路上，我們也一直注意你有沒有來。」

安妮很認真端詳兩個孩子，笑著對妻說道：

「你們孩子長大啦！大家只須再忍耐些時候，現在努力學經驗最重要，說不定那天自己當老闆，就可以駕輕就熟，不像我們縱使有了旅館，自己不會照顧，還得僱人看。在美國，請人最麻煩，按時間算工錢；算不好，工人會控告老闆。不像你們朱老闆幸運請到你們全家人替他看，又不必花很多錢，真有福氣喔！」

安妮一提到朱老闆，似乎又回憶那天的談話，只聽她以惋惜的口吻，說道：

「那種人如果不惜福，不懂困果，將來肯定吃苦頭。」

孩子回來暗示時間不早了，安妮起立從她的塑膠袋裏，掏出一包鹹魚遞給我，我們不肯收，安妮說道：

「我家買一大箱回來，價錢便宜，也不難吃呀！你們嚐嚐看嘛！」

我們只好稱謝後收下。

我們和安妮的友情愈來愈深厚了，妻三不五時打電話跟她聊天，無形中解除不少鄉愁，而安妮亦不忘向她打聽旅館的經營問題，不消說，妻知無不言，言無不盡，誠懇地發表心得。安妮稱讚我們說，你們事實上已經得到一筆無形的財產，以後只要有自己的旅館，必然經營得有聲有色。所以，她要趕快找到一間好旅館，同時希望僱用我們，目前，她身邊有一筆現金，如果擺在銀行不用，反而會被政府扣稅。於是，她經常風塵僕僕到北加州之外，也去南加州調查市場，只要稍微看中意，她就要下手。

反正一提到旅館經營，妻和安妮可以談半天而毫無倦容，妻胸有成竹地滔滔不絕，而安妮亦聽得津津有味，恨不得馬上買到旅館，請妻去指點她。

不過，我倒比較喜歡跟安妮談佛法，或佛教與生活的問題。我已經從她手上拿到幾本淺顯的佛書了，我很認真地讀，清掃房間後，我寧願捨棄小睡的習慣，反而樂於翻讀佛書，妻卻看也不看一眼，遑論閱讀與翻動；她依舊堅持己見，信什麼宗教都一樣，不做壞事就對啦！神明知道我是善良的，一定會保祐我……。

不久，我意外發現安妮事實上所讀過的佛書並不太深，反而從中國城某家佛堂師父那裏聽到的開示比較多些，開口閉口師父說這樣，師父講那樣，很少引經據典，或談論經文，加上她平時忙裏忙外，沒有空閒靜下來讀佛書，這也難怪，她是一家之主呀！然而，安妮有豐富的供養心與虔誠的信念去實踐佛陀的教導，而這可從她的言談舉止，爲人處事方面看出來，有一天，她說：「沒有必要讀那麼深奧的佛經，那不是學問，也不是用來研究的，只要在日常生活中下工夫就行；若不，你會背經典也不會成佛。」

這句肺腑之言，讓我非常受用。原來佛經不是要研究，只要依照它的指示去做，才能大徹大悟。意謂成佛不必向外求，乃是心內求法，自己本身俱有「佛種子」呀！

記憶裏，朱老闆每次巡視市區旅館對麥克講話，從來沒有好臉色，都是聲色俱厲，斥呵不停，而麥克這個白人青年居然也唯唯是諾，不敢爭辯，我看了於心不忍，且覺得十分好奇，一個對東方人滿懷種族歧視的白人青年，面對滿口爛英語的東方人也會委曲求全，難道只爲了保有這份工作嗎？

一天傍晚，我陪朱老闆到市區旅館，發現一個房間的燈亮著，朱老闆也看見了，他不動聲色，迅速走到櫃台，核對客人記錄，之後發覺麥克前天忘了關燈，因爲昨晚沒有出租，顯然是前一天出租，打掃後忘記關燈，讓它亮了二天一晚。這一來，惹火了朱老闆，他走到麥克面前，手指麥克的前額，差一點兒碰到麥克，板起鐵青面孔，厲聲問道：

「你消耗我的電量，害我損失一大筆錢，這次給你警告，下次再這樣不用心，就要扣你薪水，你聽到嗎？」

「是！是！」麥克一直說是，表情極爲尷尬。

待朱老闆離去後，我好奇地問麥克，說道：

「麥克！剛剛老闆罵你，你怕不怕？」

「不怕。」麥克聳一聳肩，回答很乾脆。

「你爲什麼常常挨他罵，而不去找更好的工作呢？」

「我想呀！」

「那你爲什麼不快去？」

麥克微笑不答話，我就不再逼問下去。

直到三個星期後的某一天，答案才突然揭曉。那時，我看到了朱老闆呈現一副豬肝色的臉色，正是內心憤怒至極的自然反應，我才知道是他平日虐待麥克，動輒斥呵麥克的果報，真是活該，因爲麥克捲款逃走了……。

記得那天黃昏，我照例去市區旅館結帳，一進入旅館大門，納悶停車場上沒有一輛車，連平時固定停在樹下那輛麥克的卡車也不見了。我好奇下了車，走到經理室，房門緊閉，窗簾下垂，我疑惑之下，伸手一連按了三次門鈴，都不見麥克應聲出來，而我身上也沒有房門鑰匙。這時，我心裏明白啦！

麥克把兩天收下的現款拿走了，因爲昨天週末銀行沒上班，所以我沒來結帳，想等今天禮拜一才來收款，一齊存入銀行。週末生意特別好，經常會客滿，現款當然不少，兩天收入總數比麥克的一個月薪水多……我不斷尋思；麥克早有計劃，或朱老闆平時惡劣的言行，讓麥克懷恨在心，等到時機成熟，才給對方一個教訓呢？誠如佛教所說「有果必有因，無因不現果。」而今朱老闆夫婦嚐到惡果，總該知道反省了吧？

我回到伊西旅館後，即刻打電話到聖地牙哥，老闆娘貝蒂接電話，她聽了我的報告，急著問我有沒有鑰匙開門進去查?我答說：「沒有，也不知麥克平時放在那兒？」忽然，朱老闆憤怒的斥呵聲傳來：「x他娘：麥克好陰險！」半晌，朱老闆才在電話中吩咐我，說道：「我馬上回去。」電話即刻掛斷了。

記得天上仍然閃亮著繁星，曙光尚未出現，窗外咆哮著寒風，我們仍在難睡中，驀然聽到門外的按鈴聲。我起床向窗外一瞧，朱老闆已經站在門外，他返抵的時刻，跟我的預計差不多，而唯一意外的是，在他身後還站著一個東方男士，我立刻明白這個男士肯定是來接替麥克職務的新任經理。

朱老闆偕同那個東方男人走了進來，朱老闆雙手提著大塑膠袋，臉色非常難看，一語不發，倒是那個東方男人，年約五十歲，褐色皮膚，中等身材，微笑望著我，說道：

「抱歉！我們來吵醒你們。」

「那裏！那裏！你貴姓？」我問他。

「我叫喬治，台灣來的。」

他頗能入境問俗，只道出英文名字，我也習慣不再問他的身份，以及來這裏的目的。

他們倆在沙發上坐了五分鐘左右，朱老闆立刻偕他到市區旅館。臨走時，喬治又微笑對我說道：

「以後請你們多幫忙。」

他們離去後，我又回到床上輾轉好久，才在疲乏中呼呼進入夢鄉。

朱老闆把喬治安插在市區旅館，到了晚膳過後，朱老闆又匆匆離開歐斯納鎮了。臨走時，我問他麥克除了捲走現款，還偷走其他什麼呢？朱老闆冷冷地答說：「沒什麼！」詳細損失反而後來從喬治口中聽到一些。儘管朱老闆守口如瓶，不肯吐露半句話。

喬治的個性很爽直，頗有語言天份，能講流利的英語與西班牙語，出身政大新聞系，來美國的時間跟我們差不遠，前後還不到一年。他說隻身來美後，就開始打工，台灣帶來的錢極有限，僅夠一兩個月伙食費，迫使他到處找零工做，曾經在中國餐廳幹過打雜，烤雞店當過小二，直到三個月前，才從報紙廣告找到朱老闆聖地牙哥那家旅館，他在那裏三班輪流，共有六個台灣來的年輕男人一起住在經理室。作業內容跟我這裏一樣，只是工作時間沒那麼長，而且每週有一天自由活動或休假，待遇比我們優厚一些。

那天，朱老闆沒有解釋什麼原因，只吩咐喬治把行李放進座車，要派他到另一間旅館去作業，但沒有說明地點在那兒？管理多少房間，或有多少伙伴？來到市區旅館時，朱老闆才透露麥克捲款逃走的情形，麥克拿走了一千八百多元，五條新棉被，和一架新電視機。

喬治有過飄泊的生活經歷，習慣四海為家，住在那裏都能很快適應，既然來到歐斯納這個農業小鎮，換了個新鮮環境生活，反而更合他的心意，因為不必待在聖地牙哥天天跟朱老闆家人一起住，這裏單獨看管一家旅館，無拘無束，沒有老闆盯在身邊的壓力，不是更輕鬆自在嗎？

我聽了喬治的話，情不自禁起了一陣共鳴，嘆息說道：

「你們有六人也會受到沈重的壓力嗎？朱老闆夫婦也敢苛待你們六個男人嗎？他們簡直像一對怪胎。」

「誰說不是。」喬治說道：「說起來會氣死人，在我們六個人裏，有一個剛來的台灣人叫小周，來報到第一天，就奉命作業十個鐘頭，中間不讓他去吃飯，強迫他作業完了才去吃，害得小周餓得淚水直流，但又怕抗命被他炒魷魚，丟掉了這份工作。我實在看不過去，便偷偷遞一包餅干給他充飢。」

喬治來了一個禮拜，不論電話或見面——我去收款，幾乎話題都扯到朱老闆夫婦待人苛薄，不近人情，尤其朱老闆喜怒無常，強烈自卑感引發極端自大自誇，對大學畢業生竭盡譏笑和責罵之能事。總之，三間旅館的所有員工都憎恨朱老闆夫婦，一提到他們就罵不絕口。

喬治吐露自己曾在中美洲某地經商五，六年，故能說流利的西班牙話，在台灣當過導遊，經常來往於美國和東南亞，英語會話也能琅琅上口，以他的年齡和學經歷來說真是見多識廣，做旅館經理獨當一面，綽綽有餘，朱老闆夫婦應該重用和珍惜他才對。

喬治來到歐斯納鎮，當然除了我們家庭以外，舉目無親，一個人待在市區旅館雖然無拘無束，完全在老闆的監督之外，當年還不流行用閉路電視來控制員工的一舉一動，事實上，喬治也覺得日子蠻無聊，蠻寂寞。一天少說有兩次來電話聊天，且一聊就長達半個時辰，內容都是旅館業務和朱老闆夫婦的爲人。例如有一次，喬治埋怨說道：

「他們好缺德喔！經常深夜突然打電話來，看我警不警醒？會不會偷懶？我一拿起話，說聲『哈囉！』，他就掛斷了電話。」

我笑著問他：「你怎麼知道是他呢？」

「不是他，還有誰嘛！經常這樣，因爲我來這裏又不認識誰。」

我很佩服喬治的精明機警，不愧是個老江湖，生活經歷多彩多姿，朱老闆夫婦的任何言行，他都能解讀得一清二楚，休想騙得了他。我很慶幸在這裏萍水相逢這樣一個爽直能幹的台灣鄉親。

我每次去訪喬治，幾乎都碰到他在電話中，且是長途電話，納悶是他打給人呢？還是別人打給他的呢？有一次，我好奇問他：

「你怎麼有這樣多電話呢？」

「我打電話一面跟幾位老朋友保持連絡，一面向各方搜集工作情報，看那裏有工作？因爲美國職業太沒有保障，說不定那天老闆忽然解僱你啦！你會措手不及，無路可走，不如平時跟幾位知己保持通訊，一旦走路，也能去那裏投靠幾天；凡事都要先做最不好的準備，出外人尤其不能忽視呀！」

自從跟喬治做了朋友和同事，我們的日子比較好打發了，不像剛來那樣沮喪和緊張了，我們對付朱老闆夫婦採取共同的默契和要領，幾乎要採取反攻的方式對付他們了。

例如好幾次聽到喬治來電話說，朱老闆夫婦或朱老闆自己將於今晚回來歐斯納鎮，可能抵達的時間幾乎都算得精準，要我們有心理準備……我十分疑惑，便問喬治說道：

「你怎麼知道他們會回來，而且時間估計這樣準確？還有他們一齊回來，或單獨一人回來也知道這樣清楚？難道你有神通？」

「哈哈！哈哈！」喬治聽了一陣大笑，接著才吐露了玄機，說道：

「我要離開聖地牙哥時，暗地裏跟幾位伙伴談妥，只要發覺老闆的座車不見，或看他帶著行李上車，一個人或夫婦一齊，好像回歐斯納的樣子，就請打電話給我。反之，只要我知道他們好像動身回聖地牙哥，也會迅速通知他們心理準備。那些伙伴都摸透了朱老闆有一項大弱點，即每個月至少兩地奔波兩趟以上，一趟開車約計四個時辰，他們完全掌握他的行蹤，說不定那天氣不過，也會利用那天朱老闆不在時，好好整他，報復他。例如在辦公室門口掛起：『客滿了，謝謝啦！』牌子，這一來，客人一看就會掉頭離去。那麼，大家可以安心睡大覺，管他生意怎樣？朱老闆別自作聰明，以爲我們讀書人不中用，自己有幾個臭錢可以壓死人。哼！到頭來，誰整誰恐怕連自己都搞不清楚，等著瞧，好戲還在後頭哩！」

我聽了不禁替朱老闆捏一把汗，有一天他們會吃苦頭，他做夢也想不到自己早就被一群伙計玩弄於手掌上。

有一次，朱老闆夫婦在我們這兒吃過晚膳，匆匆收拾行李，便開車離去。我猜他們會繞道市區旅館，再轉向聖地牙哥方向。於是，我估計他們離開五分鐘後，便撥電話通知喬治，說道：「喂！老闆大約一刻鐘會去你那裏。」

「好！」喬治一說完就迅速掛斷了電話。

約過了一個時辰，喬治來電話大發牢騷，說道：

「朱老闆剛剛離開十分鐘的樣子，他還在譏笑我說，你讀破萬卷書，行走萬里路，到頭來也沒賺到錢。若我像你這般年紀，讀了這麼多書，早坐在家裏享福啦，何苦出來打工？我聽了只好笑一笑回答說，你老闆天生聰明型，我是命中註定要替你打工的……我現在愈想愈氣，那個傢伙遲早會有報應，說話太損人了。」

我好言安慰喬治說道：「算了！你別把他的話放在心上，反正他們一個月才回來一兩次，每次也了不起一個時辰，現在比你當初在聖地牙哥時時刻刻一起住好太多了，忍耐些吧！老兄。」

後來，喬治告訴過我好幾回，聖地牙哥那些伙伴們，一看見朱老闆夫婦的座車離去，判斷他們極可能回去歐斯納鎮，便即刻掛起「客滿，不出租」牌之後，大家皆大歡喜，天下太平，開始享受自由自在的生活。例如有人矇頭大睡，有人開車出去消遣，而有人整天看電視，雜誌……任憑客人望見「客滿」牌後失望地離去；他們以爲這樣報復最妥當，最過癮，道高一尺，魔高一丈，當如是也。

同樣地，喬治也有一套報復辦法，按照朱老闆夫婦的評估，喬治的英語和西班牙語都很流利，加上豐富的江湖經驗，獨自負責一間旅館最恰當不過，既能替自己省下人工開支，又能兼營墨裔的生意，無疑適才適用，最符合經營理念了。不料，喬治也在鬼混，一天混一天，營業額跟麥克夫婦差不多，夜晚客人上門，喬治若懶得起來，也照樣不理會，乾脆把門鈴卸下，等到白天再裝上，免得按鈴聲吵醒自己。有一次，老闆娘貝蒂自己回來，先去市區旅館查房間，不知怎地，喬治一時大意，沒有心理準備，待貝蒂進入旅館，查到某號房間有六個人過夜，但簿子上只登記兩人的金額。這一來，貝蒂便判定喬治跟其餘四人有暗盤交易，立刻怒氣沖沖責問喬治，說道：

「爲什麼帳面只記兩人的錢？」

喬治理直氣壯答辯：「他們上門登記時說，只有夫婦兩個，我看了沒錯，也許晚上趁我睡覺時，他們溜進去。」

「你還是給我老實一點吧！」

「我當然老實呀！」

雙方唇槍舌戰一陣子，不論喬治怎樣表示清白，但貝蒂始終不信，最後，貝蒂含怒離去了。

歐斯納鎮的夏天氣候，遠比洛衫磯黑人區涼爽多了，更難得的是，每逢黃昏不下雨時，便有一部大卡車載著墨裔農工到旅館來住宿，據說農場主人給他們付房租，早晚會派卡車來接送，因爲早晨他們起得特別早，待我起來送孩子上學，便不見他們的蹤影，也不曾看到來接他們的卡車。每當農工們下班被送回旅館，紛紛從卡車上跳下，每人手上都捧著大紙箱，裏面全是新鮮蔬菜和水果，真是滿載歸來，喜氣洋洋的表情。這時候，有些農工們會親自送些芹菜、白菜、草莓、檸檬、蘋果……給我們，其實，我們一家怎麼也吃不完，只好趁夜晚偷偷丟進外面的垃圾箱。當然，我們也分別送給喬治和安妮，正因爲這樣，我才順便造訪安妮的家庭。

我第一次造訪時，安妮的美國丈夫名叫傑克也剛巧在家，年約五十歲，褐色頭髮，身體有些削瘦，但蠻結實，身高在一七〇公分左右。他一見到我，便滿臉笑容，迅速走來親切打招呼：「哈囉！」接著，他向我寒暄了幾句，便轉到別的房間，讓我跟安妮方便交談。他們三個兒子都長得高頭大馬，普通美國男人的身材，反而髮色肌膚和眼珠完全像東方人，都呈黑色。他們跟母親說話溫和有禮，長幼分明，不像一般美國人家庭那樣活潑開放，無拘無束。我暗忖：「安妮的家教不錯哩！」

她家有一種情景給我留下極深刻的印象。當我一跨入門檻，脫下皮鞋，向左轉入客廳，迎面放一張長約一丈高及我的肩膀的神壇。我細細觀賞，上面供奉一尊兩尺左右的彌勒佛，笑臉看人，立刻使我心情開朗，平時的壓迫感剎那間消失了。佛像前放一個碗公大小的香爐，正插著三根長香，香煙繚繞，整個客廳洋溢著濃郁的香氣，讓我的內心有一股說不出的清淨，彷彿是身在台灣的寺廟一般。香爐前方放置幾個橘子、蘋果和兩包餅乾，旁邊一隻小木魚以及幾本佛書。

我跟安妮聊些旅館的事，但也伸手翻閱身一張茶几上，放著一堆佛教雜誌，安妮看了笑說道：

「我看你比太太有善根，正是佛要度化的有緣人，你拿回家慢慢讀，將來一定有心得，我可沒有空讀，先生和孩子也看不懂。」

我由衷地感激她，便不客氣抱著二十幾本佛書回旅館。

在以後的日子裏，果然一有空閒，我便翻看一本又一本的佛學雜誌，幸好內容深入淺出，遇有不懂的佛經文句，便迅速跳過，不願花頭腦去思考和記憶。這樣雖然不求甚解，有些甚至一知半解，也總算對真正的佛教，佛學和學佛修行等基本概念有了正確認知。其中最讓我動容的，莫過於高僧大德的傳記。作者悟解佛教後，再用自己的白話說出來，而不是動輒引用經典的內容最讓我受用，從生活中談修行，所謂「佛法不離世間法」最令我信服；反之，那些神通，經典解說既枯燥和不實際，讓初學佛的人不能接受，有些甚至違反常理，胡說八道，根本不是佛教的真諦，讀後讓我倒盡胃口，棄之唯恐不及。

從此以後，安妮看我對佛理如醉如狂，便三不五時到洛衫磯中國寺廟帶些新出版的佛書，自己寧可不看，反而刻意買回給我看，她總會說，我將來會有大成就，會走上「法布施」這條路，她對我有信心，並經常鼓勵我精進，再精進……。

某天下午，安妮沒有先來電話，便突然大駕光臨。她興緻勃勃說，兩週前去一趟北加州，在地產商指引下看中一間中型汽車旅館，約有五十個房間。她很想預付些訂金，但仔細一想，還是先回來找我們商量。由於我們沒有實際去看過，只能依據她概略分析，和靜態資料，就不敢冒然下結論說：「好」或「不好」，深感責任重大，但是，我們也竭盡所能提供更多專業性意見，方便她自作結論。

之後，安妮的話題又轉到佛教方面，接著送我幾本新版佛書，她說道：

「我近年來，每個月總會撥出一筆錢買佛書，雜誌送給中國朋友看，例如那幾位醫生太太，起初他們沒有興趣，但經不起我再三勸誘，後來她們被我誠懇感動啦，知道我沒有壞的動機，才開始慢慢看，現在她們都是佛教徒啦。她們不但經常上寺廟，甚至遠到舊金山中國城的寺廟，也在自家設佛堂。有些朋友經濟狀況不如我，我就乾脆每個月買來寄去，要求她們看完後，再傳給她的朋友，所以，我送你的佛書，不必送還我，留待以後送給你的朋友。」

安妮侃侃而談，表情很灑脫，很誠懇，一點兒也不像撒謊，亦不故作聖人狀，讓我無限感動，我又問安妮說道：

「難得你心地這樣仁慈，修行這樣好，萬一遇到公寓的房客不繳租，你會忍心趕他們走？尤其，窮人家孩子一大群，你要怎麼辦？」

安妮目不轉睛望著我點點頭，表情很嚴地答道：

「我明白你的意思，其實，學佛修行跟這些問題不衝突，亦不矛盾。例如我們可以從兩方面看，若他惡意不繳租，我絕對不允許，不寬容，馬上趕他出去，否則不但害了他們，他們以爲不守法，或賴帳可以混日子，這樣更會增加社會的麻煩，另一種是真有困難繳不出來，我只能給他暫緩三天，三天後仍不繳租的話，我要查詢原因，那就視情況和個案來決定，頂多助他一臂之力，救急不救窮嘛！」

我聽了她這樣說，亦覺合情合理，頗符合佛教的旨趣。

之後，安妮透露自己沒空看佛書，反而寄回台灣給姊妹看，她猜想姊妹們也許不會看，照樣勸她們暫時先放桌上，說不定那天忽然想看時，再翻開來看一兩頁亦不妨，因爲開卷有益，一點一滴也能受用。若有朋友想看，不妨轉送給他們，反正佛書是要流通才有意義啊！最後，安妮自謙口才拙笨，學識普通，修行也是門外漢，只好靠買書送書種福田，給人結善緣啦。

安妮告辭時，我送她上了車，才笑著對她說道：

「妳的功德無量，以後會成佛啦。」

她迅速回答我，說道：「不敢，不敢！」

喬治雖然受過高等教育，見多識廣，惟獨對信仰問題沒什麼興趣，我送佛書給他，他不好意思拒絕，只笑著說：「你放著吧！有空我會翻一翻。」其實。他蠻有空閒，因爲朱老闆僱用一名菲律賓女傭，名叫瑪利亞，專門負責房間打掃。所以，喬治不是在看電視，便在經理室獨自躑躅，若有所思，又似心事忡忡，同時頗多電話連絡。一天，我進了他的經理室，悄悄站在他旁邊，他仍不自覺，坐在沙發上既不看電視，又不講電話，卻在發楞，默不作聲。我忍不住叫了一聲：

「喂！你在想什麼？」

「哦！你來啦，坐下。」

接著，聊一下旅館生意，他飲了一杯口樂汽水，又端一杯給我，但聽他話匣子一打開，滔滔不絕吐露了一段自傳，也是傷心史，讓我十分同情。他非常惆悵，也非常低調說，自己所以離開台灣的家庭來美國孤軍奮鬥，可說情非得已，他純粹爲了寶貝女兒前途，而跟我攜家帶眷來新大陸的動機不一樣。在台灣，喬治有兩個正在讀大學的女兒，和七十歲老母親，父親去世了，太太呢？當我好奇地問他時，只見他沈思片刻，才如怨如訴道出一段辛酸。

喬治曾到中美洲某國做生意，一年返台一兩次，所有家業交給妻子掌管。當他在中美洲打好事業基礎，正想把妻兒和老母親接過去，才發現枕邊人寧可捨棄丈夫和兩個女兒，而跟情夫去另組愛巢。這一來，喬治傷透了心，憤怒之餘，一不做，二不休，有意要跟那個男人同歸於盡，但冷靜環顧一下身邊兩個女兒，聰明可愛，品學兼優，實在不忍心拋棄她們，尤其，老母親苦苦哀求喬治，說道：「難道你忍心看我這把年紀，還要去監獄探望你嗎？」喬治聽了才清醒過來，知道這樣做不値得，很愚蠢，於是，他咬牙切齒回去中美洲結束了幾年打下的基礎，之後回台灣照顧老母和兩個女兒。直到她們都上了大學，喬治自覺身體還蠻硬朗，就想要再給女兒開拓另一個前程，不讓她們留在人多地狹的台灣謀生，於是抱著犧牲自我的決心，爲女兒辛苦，爲女兒打拼，千里迢迢來美國闖蕩。喬治有自知之明，既無多少資金，又無一技之長，加上年紀快近半百，不敢奢望有什麼輝煌成就，或抱持什麼壯志雄心，只想給女兒來到美國時有一個落腳處……。

喬治說到這裏，眼眶紅了起來，說話開始嗚咽，再也講不下去。我趕緊安慰他說：

「往事不要去回想它，已經來到這裏，必須鼓起勇氣向前衝最要緊。只要忍耐三，四年，你兩個女兒一來，就可以買棟房子父女團聚。你要想一想，朱老闆夫婦來了十幾二十年，才有今天這種基礎，你要忍耐呀！」

本來，這樣老生常談對喬治這位老江湖與生活歷練豐富的人沒有什麼特殊意義，但我一時也想不出其他更好的安慰。只見喬治掏出手怕擦乾了眼淚，才用沙啞的聲音說道：

「我每天早起，頭腦空空，不敢打妄想，尤其不敢想到台灣的一切，不然會瘋掉。有時候，我真不想活啦！尤其，一聽到朱老闆說話苛薄，實在傷透我的心，恨不得一刀幹掉他，然後開了車遠走高飛，誰也找不到我。」

看他說到這兒，聲音突然戰抖，情緒也激動起來，右手握緊拳頭，重重地捶一下沙發，雙眼直瞪著我。依我猜測，喬治不像說氣話，如果情緒失控，他可能真敢出手，再理性的男人，也有七情六欲，終究是凡夫俗子，我又安慰喬治說道：

「你千萬不能幹這糊塗事，好不容易才離開那塊傷心地，現在有了這份差事可以溫飽，一切求平安，事情要看得開，放得下，才是大丈夫。一個人不是單求自己能夠活下去，也要考慮到別人，例如你心愛的人，或極愛你的人，都跟自己活著息息相關。倘若你有三長兩短，叫他們怎麼活呢？這樣連累別人就不應該，也非常不負責。朱老闆是個老粗，沒受過什麼教育，因爲自卑感引起自大狂，怎能跟他認真呢？把他看作一個瘋子就行啦！現在，我再送幾本佛書給你看，不是叫你信佛教，只是讓你得到安慰，起先，我也看不太懂，不太相信裏面的話，可看久了便明白許多道理是平時聽不到的，肯定對你有幫助。」

於是，我送了兩本佛書給他——『正信的佛教』和『金剛經的生活智慧』。

星期日中午過後，兩個孩子幫我提前清好了房間，大家便圍著餐桌坐下，因爲妻子一個人在包水餃，我們也湊熱鬧動起手來，七嘴八舌，說誰包得快？誰包得好？這樣全家團圓的樂趣，只有趁朱老闆不在的時候，我們才能享受得到。那天晚上，我們都靠這幾盤餃子充飢，再喝幾碗蛋花湯之後，妻又裝好一大盤餃子，一碟醬酒和香料，放進一個塑膠袋，叫我開車送去市區旅館，臨走時，妻說道：

「送給喬治當宵夜。」

我出發前沒有先撥電話，下了車匆匆闖入經理房，目睹喬治正坐在沙發上讀佛書，戴一副老花眼鏡，口裏唸唸有詞，樣子還蠻認真。他一看到我，馬上把手邊的佛書放下，笑著對我說道：

「哼！你冒然闖進來，我還以爲是老朱哩！只有他才有這個膽量闖進來。」

本來，那盤水餃要給喬治當宵夜，誰知他迫不及待嚐了一個，就忍不住讚嘆說：「好！好！」接著一個又一個吞下肚子，須臾間被他吃光了。這時候，他好像餘興未盡，居然從廚房捧著兩瓶啤酒出來，迅速打開其中一瓶墨西哥啤酒，倒了兩杯放在旁邊，手指著它說道：

「我嚐過墨西哥啤酒，味道不輸美國啤酒，你也來一杯嘛！看你平時沒有喝過，現在太太不在身邊，我們哥兒倆喝個開心，把悶氣掃光。」

我端起酒杯只舐了兩口，目睹喬治從櫃台拿一把打火機，「查！」地一聲，突然點燃一根香煙，放在嘴邊悠哉悠哉地抽起來，我不禁吃了一驚，說道：

「怎麼？你也會這個玩意兒？」

「我本來沒有抽煙的習慣，來到這兒無聊，又有房客留下一大箱的香煙，就好玩地抽幾根，其實根本體會不出什麼味道。」

之後，我們又開啓了話匣子，但主題不放在旅館生意和朱老闆夫婦，反而談些佛法心得。喬治說，近來心情特別苦悶，清晨房客一大早就按鈴進來，借這個，借那個，害得他也睡不好，就乾脆坐著讀佛書了。起初對那些內容半信半疑，不過，輪迴和因果這兩項頗能讓他動心，對他的思考和觀念衝擊很大，例如懂得因果後，看世間會不一樣。像朱老闆夫婦那樣待人，等於種下惡因，將來必然嚐到惡果，所謂「不是不報，時候未到。」意謂因緣尚未成熟，世間不論總統、董事長、總經理、乞丐、工人……都一樣要負責自己的因果。期間，我透露，上次一名離職經理回來索取工資，而後失望回去的例子，喬治一聽，不禁破口大罵，說道：

「何必這樣嘛！說不定他們要靠這點兒錢養家，這一來，真難為人家。老朱連這一點小錢也要壓榨，看他將來怎樣遭到報應？肯定連本帶利要償還給人。」

說完後，只聽喬治一連哼！哼！兩聲冷笑。

喬治又感慨地補述一番，世事成敗不是光靠自己能幹就可以，還要眾緣和合，也就是要聚集大家的心和力，共同參與，才能成就大事，所以時間與人的因緣非常重要。他回憶自己夫妻分離，冷靜一想，自己也有責任，誰叫自己當時要去中美洲，而讓太太獨守空閨呢？既然夫妻之緣消失了，那又何必苦苦執迷呢？這不是自尋苦惱嗎？世間一切不外因緣生，因緣滅，那麼，自己為何偏要為破滅的往事看不開，放不下呢？啊！自己一想到此，就心情舒暢多了，這是喬治那天晚上的肺腑之言，不消說，這也是喬治悟解佛理之後，大徹大悟的心聲哩！

當時，我聽完喬治的反省與領悟，也不忘給他打氣，讓他能乘勝追擊，更有信心跳出妻離女散，家庭破裂的陰霾籠罩。喬治默不作聲聽我說話，眼見那瓶墨西哥啤酒給他喝光了，香煙也給他一口氣抽了三根，我順便把自己那杯啤酒移到他面前，表示我要告辭，不想喝它.我回到旅館後，孩子們在做功課，妻正在觀賞電視影片。

從十二月中旬開始，旅館生意顯著下降了，停車場上難得看到十部車子。這一來，我每天作業輕鬆多了，老房客一個個離開後也不再上門，墨裔農工空下來的房間，始終靜悄悄，派不上用場，我們可以享受絕無僅有的春秋大夢～～一覺到天亮，然而，我們也開始警惕了，暗暗吃驚每週營業額下降怎麼辦？一天，妻憂愁地自言自語：

「這樣下去，年底恐怕更清淡。」

我聽了也開始不安起來，暗忖：「不知每年這個時期都一樣嗎？若是，過了這一陣生意自然會復蘇。」

元月初發薪餉那天，朱老闆夫婦一起在深夜回來了。我們相信他們尚未進門以前，一眼掃過停車場，便心裏明白生意情狀。他們一把行李放下來，就走到沙發前坐下，跟我們面對面不發一語，好像心情很不好，我們夫妻都心裏有數，也準備接受任何不愉快的挑戰，這時的壓迫感無疑非常沈重，毋寧說，還有些緊張與不安……。

只見朱老闆猛抽著手上那半截香煙，一口接一口吐出來。貝蒂在旁邊靜靜地翻閱每天的收入帳目。因爲她是台大會計系畢業，又有實際作帳的豐富經驗，每一頁帳只要她稍微一瞥，就迅速翻過去。前後不到一刻鐘，就把兩週來的幾種帳冊檢查完畢，之後，貝蒂終於嘆了一口氣，才抬頭說道：

「光是十一月份生意，就少收三千多元，遠比去年同月份下降很多。我們自己做那麼多年，還不曾下降這麼多，樓上房間完全空著，有些老房客實在不應該走掉。」

顯然，她有些責備的意思，不料，妻的個性也很倔強，平時責任心又重，凡事得理不饒人，何況，我們一開始就全心投入旅館的生意，戰戰兢兢，竭盡所能拉到客人，而今乍聞貝蒂一番話，忍不住杏眼圓睜，用激昂的語調解說道：

「難道客人不來，也是我們的錯嗎？我們總不能出去拉客呀！房客要走，我們也擋不住。」

貝蒂說道：「雖然不叫你們去拉客，夜晚也要警醒一些。以前，這個時候打電話來訂房的客人不少。」

貝蒂的話差矣！那個夜晚不是一聽到電話或按鈴聲，我就迅速爬起來？從來沒有錯過一次生意機會，我反問她說道：

「你敢說我們夜晚不起來嗎？我們那一次會讓客人跑過？你沒有親眼看到的事，可不要冤枉呀！」

貝蒂聽了不再吭聲，但坐在一旁正在吞雲吐霧的朱老闆，終於開口提出一道不太相關的問題，語氣極霸道地說道：

「你們上回給我的現款跟帳目不符，現款少繳五十元，你知道嗎？」

接著，他一直冷笑了兩次。

妻也不是好欺負，馬上接口反唇相譏，說道：

「你已經當場點過現款，如有不符，爲何不馬上告訴我？」

我亦不甘示弱，不能爲了保住飯碗，而委屈求全到任人欺侮的地步，於是緊接著說道。

「你放馬後炮，未免太過份啦！」

但聽朱老闆不慌不忙，面無表情地說道：

「雖然我少拿了五十塊錢，心想你下回會補給我吧！所以，當時就沒說出來。反正多給，少給都是我的錢，一分也少不了。」

真是莫名其妙的解說！

妻也據理力爭，毫不讓步，說道：

「這是你的不對，若不當場說明清楚，事後怎麼講都可以，但我可不承認。」

這時，氣氛很僵硬，雙方好像要吵了起來，幸好他們不再爭辯，而我也見好就收，將心裏該講的話，毫不掩飾傾吐出來。我們心知肚明，他們即使現在心裏不平衡，頂多說說，擺出一副老闆的架勢而已，不會馬上叫我們走路，因爲安妮曾經透露說，老闆在她面前不斷稱讚我們作業蠻認真，也很負責，所以，他倆放心讓我們做，惟一的缺點是，我們的英語還不太流利……。

有了這次不愉快的口角，我們也得到了一項警惕。這裏的確不能久待，必須趕緊另找出路，但得不動聲色，暗中請洛衫磯的朋友打聽才好。

次日，朱老闆夫婦吃完中飯離開後，妻馬上掛電話給喬治，詳述昨晚跟朱老闆口角的情形，喬治聽了爲我們抱不平，厲聲指責他們，說道：

「這種作風真下流，他們想要栽贓人，強迫對方認錯，你們可不能忍氣吞聲，任憑他們騎在你們的頭頂上。」

妻坦白告訴喬治說，我們正在暗中計劃找別家旅館，只要收入和相關條件談妥，我們不惜讓孩子學期中轉校，不一定非到學期末才離開。誰知喬治聽到我們的計劃後，反而極力勸我們要冷靜，要理智，且安慰我們說道：

「你們可不要跟我這個單身漢相比，要爲兩個寶貝想一想。坦白說，我的行李全都放在車子裏，只要跟他們一翻臉，待工資一拿到，我就開車走啦！哼，我這樣方便得很，一分鐘也不必耽擱，而你們可不一樣喔，你們要忍耐，所謂退一步，海闊天空，可不能意氣用事。」

喬治真夠朋友，在這樣緊要關頭，他還肯爲我們著想，勸我們不可輕言離職，攜家帶眷和一大堆行李，可不能居無定所，既沒有工作收入，又要天天吃老本，那可不是鬧著玩的呀！

不久，喬治透露了一項計劃，我們聽了很驚異，而且不勝依依，因爲他不想幹了，在電話中這樣說道：

「我的朋友在洛衫磯開餐廳，生意頂好，正要人去幫忙，待遇跟這兒差不多，還有小費可以拿，我已經跟他們談妥啦！我正在計算那時候去；坦白說，我想到自己年紀一大把，還在受這個流氓的氣，真不甘心，不過，你們可不要跟我比呀！」

言外之意，喬治還是勸我不要衝動，應該爲大局著想。

我問喬治說道：「那麼，你預定幾時走呢？」

「反正最近要走，等我拿到工資後再說。臨走時，我一定會給他們一點顏色看，別以爲我喬治好欺負，平時我只是在忍他，並不表示我真是個弱者！」

「那麼，你要怎樣對付他？」我忍不住好奇起來。

那時，喬治沒有立刻回答，反而先來一陣狂笑，之後才說道：

「我拿到工資後，暫時不露聲色。依我猜測，他一發完我們的工資，便馬上回去聖地牙哥。待那邊的同伴來電話說：『到啦！』我再打電話去，告訴老朱：『我現在辭職，你們趕緊回來，經理房沒人，所有零錢和鑰匙都放在伊西旅館，等你自己回來拿吧。』我偏不給答話和喘氣的時間，要讓他馬不停蹄，乖乖再回來這裏，開四個小時的車，會累死他，才消我心頭之恨。」

我一聽到這裡，果然感到意外，同時，腦海即刻浮現朱老闆夫婦那副憤怒得鐵青的臉孔，回程的漫長路上，一定滿肚子怨氣，嘴裏不斷吐出三字經：「X你娘，喬治。」

我又問喬治說道：「你真要這樣做？」

「哼！這已經很客氣啦！要是遇到聖地牙哥那幾位伙伴，鬼主意更多，他們可不會這樣便宜他，可笑老朱還矇在鼓裏，指婢喚奴一般對我們任意呵斥，遲早有他的報應。」

我們在電話中談到這裏，這時，我也像洩完心頭大恨一般，頓覺一塊壓在身上的大石頭給攬了下來。但是，當妻聽完了我的轉述，到底女人天生一副軟心腸，看她即時露出關心的樣子，說道：

「老遠趕回來一趟也夠累了，一路上受氣夠他瞧的，勸喬治放他一馬算啦！」

「我看他說得那麼堅定，恐怕勸也沒用，隨他去吧！」

「真是以牙還牙，以毒攻毒，誰叫他平時愛挖苦人呢？他們完全不體諒我們剛到美國的萬般苦惱，不但折磨我們，還要趁機壓榨我們。看樣子，我們無能為力，喬治肯定不聽勸告。」

妻聽我這麼說，終於不再說話，轉而懷著壁上觀的心情，隨它去吧！

那天一大早，我在床上耳聞窗外傳來雨點，落在地上枯葉的聲音，心裏在想「好難得」，須臾，客廳忽然傳來：「啦啦！啦啦！」的電話聲，一連響了兩回，我才一躍坐起，再匆匆衝到餐桌前，拿起電話筒，卻意外聽到喬治那股中氣十足的聲音，洋溢著歡欣的語氣問我，說道：

「喂！起床了吧？」

「電話聲響，還能不起來嗎？」我睡眼惺忪反問他。

喬治又吐露了自己的計劃，說道：

「我已把所有財產捆成三大包，把它統統放在車子裏了。上面用報紙蓋好，免得讓老朱瞧見起疑心。我剛才接到情報說，他一個人會在中午左右回來，只要我拿到工資，料想他不可能擔擱太久，會匆匆趕回去，因爲那裏有緊急的事等他去處理。我一切都按照計劃進行，我喬治沒有別的本事，可說得出，必然做得到，絕不會含糊，你們等著瞧好啦！」

不知何故，乍聽後，我忽然精神也抖擻起來，不禁笑著問喬治，說道：

「你真要整他？」

「什麼整不整？我算夠慈悲啦！本來，我還打算動身前，把旅館電話線統統切斷，毀掉幾間房門，讓他花費半天修理，但後來一想，算啦！給他一點兒教訓夠了，要讓他以後待人和說話厚道一些。」

喬治說得斬釘斷鐵，聲音爽朗極了。

我沈默了半晌，只好說道：「我也等著瞧啦。」

大約午後一點，果然不出喬治的預料，可知他的情報來源不是蓋的，朱老闆一個人開車回來。他提一個小皮箱，一句話不說進來經理房，轉身到櫃台前，望了幾眼房客登記卡，好像早已明白昨夜的營業狀況。之後，他只問我一聲，說道：

「有沒什麼需要修理？」

我冷冷地答說；「第五號房的浴室和天花板上破一個大洞很難看，我自己修理不容易，一定得有人幫忙，等你回來看怎麼辦？」

「我今天可能沒空，我先去看後再做決定，反正不是很急迫的。」

我早已習慣了他的語氣和陰沈的臉色，不想跟他多搭訕，便藉故走出去，讓妻收下本月的薪餉袋。

我雖然故意躲到對面樓上洗地氈，擦玻璃，但也暗中留神朱老闆的座車在不在原地？只要發現他的車子離開，我猜他會先去找喬治，把薪餉袋交給他，之後才返回聖地牙哥。這時，我不斷尋思：「馬上有好戲看啦！你還不知道。」

待我作業告一段落，大約花了兩個時辰，始見朱老闆提著皮箱走上車，我故作不見，卻暗中注意他的一舉一動，也目睹妻走出門邊，不情願向他搖搖手。他的車一開出旅館大門，向右一轉便消失，我就停下作業，匆匆走下樓，跑進了經理室。

我搖電話給喬治，一直沒人接聽。正在疑惑之際，才聽到喬治頗不耐煩地應了一聲：「哈囉！」

我向他說道：「怎麼好久才來接聽？老朱剛離開五分鐘的樣子，也許去你那兒，我們拿到錢啦，現在看你嘍。」

不待喬治說什麼，我立刻掛斷電話。

又過一個時辰，我把作業工具收拾起來，放回倉庫裏。回到經理房時，孩子放學回來了，妻正在廚房忙碌，我吩咐她說道：

「你多準備些小菜，我晚上給喬治餞行。他若不是今晚走，便是明晨離開，我應該不會猜錯。」

妻贊成我的意見，看她眼睛直瞪著菜籃子，肯定在思索要做幾樣菜。

黃昏來臨，喬治沒有電話來，而我們也不去打擾他。也許朱老闆給了他薪餉，尚未離開市區旅館。我擔心喬治會不會又改變主意？或被朱老闆看穿了，而今雙方正在起衝突呢？我的心七上八下，有些不安起來。

晚膳剛要開動，喬治總算來了電話，聽他一開講就埋怨說道：

「老朱遞給我薪餉袋時，嘴上還在嘍嗦，怎麼營業額始終沒提升？我不吭氣。接著又嘮叨我說，你可要好好幹喔，我同情你年紀一大把還來美國打工，才好心收留了你。現在有幾個台灣剛來的年輕人在排隊，等我給他們工作……我聽了心裏笑得要死……。」

「喬治，電話不方便談，我馬上過去，等見了面再說。晚膳你不必做，我會帶些菜過去，我們好好聊一聊。」

「客套什麼?空手來就好，還要帶什麼菜嘛！」

喬治竭力反對我帶幾樣可口的小菜去。

那天正逢週末，生意通常都比較熱絡，情侶上門尤其阻擋不住，但見市區旅館的辦公室大門緊閉著，而且門上掛著「客滿」牌，讓客人一看，就自動離開，懶著再按鈴問：「還有沒有房間？」

我笑著問喬治，說道：「看這裏四周靜悄悄，果真客滿啦？」

照道理說，「額滿」不是這個時刻，應該在深夜或清晨一兩點，而今只是晚膳時刻，怎麼可能會有這樣好的生意；我一頭霧水，內心好生納悶哩！

只聽喬治愛理不理的答說：「午前只賣了三間房，待老闆一離開，我猜他不可能回來，就乾脆掛上『客滿』牌子。我自己連大門也沒踏出一步，躲在臥房整理行李，反正今晚生意也不想做了，現在開始輪到我來整他哩！」

喬治一直冷笑著，我猜他果然在報仇，發洩幾個月來滿肚子的悶氣，也存心讓朱老闆嚐嚐自作自受的果報。

「你到底幾時要走？」

「原則上，我打算明早動身，估計老闆若不到別處，直接回聖地牙哥的話，清晨三點左右到家。我已在電話中照會那幾位伙伴，他們聽了連聲叫好，有人還說我不夠狠，太客氣哩。他們說要給我出點子，我趕緊說不必，留給自己慢慢用吧！說來很可憐，其中一位老林，剛從台灣來留學，英文基礎不太好，他打算一邊打工，一邊加強英文，等明年再去學校註冊。但老闆偏不給他時間看書，一看他有空，便命他去修這個，修那個，忙個沒完沒了。老林想這樣下去不妙，只好辭職了。可恨朱老闆騙他說，先付一半工資，另一半要寄給他。老林只好回來洛衫磯，等了兩週仍然沒收到工錢，便要回來拿，誰知他運氣真衰，車子出了問題，不能動，他便拜託其他同伴幫他去拿，但老闆娘貝蒂更狠心，說：『別人的事，你們管他幹嗎！』最後還是沒拿到錢。你想，這樣可恨不可恨？」

喬治說完話，抓起一隻大炒蝦往嘴裏咬，同時用手上竹筷在比劃，好像要猛扎幾下朱老闆和貝蒂老闆娘。

接著，我們各自端起滿杯啤酒，說一聲「乾杯」，就一口氣往嘴裏灌下，彷彿今朝有酒今朝醉，那管明天會怎麼樣：連平時極少飲酒的我，此時此刻，也不禁動了離情，暗想我們萍水相逢，不知以後何時何地再見面？新大陸人海茫茫，各自爲生活和前程奔波，許多計劃和願望極可能在苛薄的現實下成爲泡影。其間，喬治不斷稱讚妻的機智與膽識，面對朱老闆夫婦咄咄逼人也毫不畏縮，真是一位女強人風範。

我說道：「你怎麼啦？」

「還是那句老話，不論怎樣辛苦也都要看在兩個寶貝孩子身上，你們再忍些時候。如果工作不安定，不停在搬家，他們那有心情念書？這樣，你們來美國的目的不就毀了嗎？」

「說得也是，我們都顧慮到啦！」

「我先去洛衫磯一位同鄉那裏休息幾天，一切就緒後，就會打電話給你，以後要保持連絡。」

我連聲說：「好，好，」同時給喬治再倒滿一杯墨西哥啤酒，說道：「酒逢知己千杯少，在這兒萍水相逢，也算蠻有緣份。我們沒什麼送給你，這幾本佛書你拿去當紀念品，隨身攜帶，可作精神食糧，另外，你有空也要幫我留意那裏有沒有適合的工作。」

「當然。」喬治喝下啤酒，不停地用兩根手指在迴轉著酒杯，但卻不見他呈現什麼酒意。

「我們眼前的苦惱是，一切也離不開作業崗位，既不能開車去洛衫磯，亦擔心自己的老爺車在半路出毛病，後果不堪設想。所以，我只能靠電話打聽，沒法去面談，這樣效果很小，對方自然不肯冒然答應。若要我們先辭職，毅然跑去面談，又怕對方不採用，尤其擔心又碰到差勁的老闆，我們實在進退兩難，又聽說有小孩的家庭，很不容易租公寓或房子，這一來，我們既丟掉了工作，又找不到地方住，後果實在可怕。」

這時候，我只好實話實說，一點兒也不隱瞞自己的苦衷。我發覺喬治咕嚕咕嚕喝下了兩大杯，連脖子也紅脹起來，我便起身告辭，他送我步出經理房，看我上了車還站在門檻上向我搖搖手。

在回程中，我暗想喬治今晚會睡個痛快，養精蓄銳，明天好趕路，他常常埋怨說，最恨半夜有客人敲門或按鈴，因爲他有一個大毛病，被人吵醒後，極難極難再睡得著，可憐這個毛病正犯了這行作業的大忌，而今喬治可以完全解脫矣。

難得次日清晨，我起床不是被房客送回鑰匙的按鈴聲吵起的，而是習慣的自覺意識到該起床的時候，睜眼望著窗外，不禁啊的一聲，怎麼好像喬治的座車已經停在門外，但不見喬治站在附近，難道是喬治來了嗎？我披衣起立，走下床來，打開房門走出一步，哇！果然看見喬治仍坐在車座上，他見到我不待我開口，就打開車窗遞一個小包給我，說道：

「我不想吵醒你太太。」接著又小聲說道：「這是所剩的現款，不到一百塊，和經理房的籲匙，請你一併繳給老朱。」

我立刻收下，急著問他說道：「你真打了電話給他？」

「難道我還跟他客套？他一聽到我要走，語氣馬上很溫和說：『你要走，我不留你，但也要等我帶個人去接到才能走呀！』我一聽就掛斷電話。兩分鐘後，電話鈴響了，我猜想是他，就懶得去接，乾脆將電話筒拿下來，讓他氣個半死。」

我問喬治要不進來坐一下？他說不必啦！該講的話全講完了，他要我代向妻致最大的謝意，並說大家後會有期。

我站著目睹他的座車慢慢離去，心中起了依依之情。

妻晚膳要包水餃，孩子們都不反對，我亦沒有意見，於是，妻自己在廚房忙碌，櫃台由我招呼一個菲律賓房客來登記過夜，我心想：「罕見有菲國人來住宿，恐怕是旅行的……」正在疑惑時，忽聽經理房門「咔！」地一聲打開，朱老闆臉色蒼白走進來。我來不及招呼他，他反而先急著問我說道：「他的鑰匙和現款呢？」

「在這兒！」我簡單回答一聲，迅速從櫃台抽屜中拿出小包，繳給朱老闆，其餘一句話也不多說。

「X你娘，喬治不是個東西。」

朱老闆一手接小包裹，自言自言罵了一聲離去。不料，他上樓大約停留五分鐘，又走到櫃台前對我說道：

「你給我一把空房間鑰匙，我偕同一位台灣的姜先生來了：讓他今晚先住在這兒，我自己去市區旅館值夜。明天一大早你送姜先生過來，我現在跟他去吃飯。」

我給了他一把三十號房的鑰匙，他一接到手，頭也不回走了出去。

晚間，我跟妻閒聊那位姜先生可能是個中年人，若不，年輕人一天二十四小時被關在旅館內吃不消，或者夫妻檔也說不定，妻卻冷笑說道：「如果待人態度差勁，來了也會離開，有幾個人像我們這樣有耐心？」

第二天起來，我吩咐妻要多準備一份早點，請那位姜先生進來共進早餐，以後即是我們的伙伴兼同志，說不定也會像喬治那樣跟我們投緣，無話不談哩！

姜先生看來像位大學教授，四十歲出頭，身高至少一七五公分以上，戴一金絲邊的近視眼鏡，文質彬彬，體格卻很瘦弱。妻也陪同我們一起進早餐，席間我問他到聖地牙哥多久啦？一個人在那邊？準備來接任市區旅館的經理……。

姜先生乾笑了一聲，答說：

「我到那邊不到兩個月，內人和一個女兒還留在那兒，昨天傍晚朱老闆才臨時告訴我，這裏一間旅館的電路壞啦，要我一塊兒來查看，他知道我是學電機，也懂得實際修護，但他沒說要我留在這兒，你看！連我的車子也沒開來，我想，應該會回去吧？」

這話倒說得很實在，可以證明老闆平時爲人就是這個調兒，愛搞權謀，耍心機，故意讓員工不知他的胡蘆賣什麼藥？

我馬上提醒他說道

「朱老闆極可能要留你下來，因爲現在沒人看呀！他自己不可能留下來看，何況，除了你，他又沒帶來其他人，你還是先做心理準備。」

此外，我簡略分析一下歐斯納鎮的居民來源，治安與房客水準，尤其提到市區旅館的現狀。姜先生默默在聽，不提任何問題。最後，我試探他說道：

「聽說你們聖地牙哥那邊每天要跟老闆一家，面對面，生活起居都在一塊兒，廚房，客廳和浴室都共用，實在太不方便哩！」

「誰說不是，我們沒半點兒隱私權，講一句話都覺得有壓力。」

姜先生的臉孔繃得緊緊，似乎極不開心。

彼此初次結緣，知人知面不知心，我點到為止，不敢明言朱老闆夫婦太多事情，但又一次提醒他，說道：

「你們若來這兒，可以兩星期才跟他們見一次面，精神也不受威脅，他們說話語氣，對人態度，你是知道的。」

姜先生很世故，也很健談，這是他給我的初次印象。

我們邊吃邊談，也算蠻投緣，尤其有共同心聲，好像恨不得要咆哮出來，引發對方的共鳴。

姜先生又說道：

「一大群人混雜居住，公用一間廁所，非常不方便。像我們夫妻和一個小女兒，應該得有自己的房間，天知道我們那個臥房，乃是臨時將倉庫改造的，沒有窗戶，更無陽光，密不通風，夏天會悶死人。我女兒最討厭待在臥室，常常哭叫要出來。我們要求他換個房間，因為天氣太熱，女兒待不下去。他每次支吾其辭，從來不肯定答覆我。有一次，老闆還冷笑說：『你有免費的的房間可以住，不錯啦！外面房租有多貴，你會不清楚嗎？我們當初身上沒錢，還曾睡在人家的走廊。』他這樣說，我也拿他沒辦法。」

妻坐在一邊忍不住抱不平，說道：

「睡走廊是他家的事，人家有眷屬總要有間像樣的臥室，而且公用廁所最不方便。」

姜先生一聽更加憤怒，語調激動了起來，說道：

「就是嘛！不過，他對我們還算客氣哩，其他人剛來美國不久，可真受夠他的窩囊氣。簡直像對待囚犯一般，休閒也不讓他們出去，好像怕他們跟外人接觸。他最瞧不起留學生，譏笑他們說英語讓人聽不懂，這樣差勁的程度也敢來留學。其實，天曉得他自己來美國十幾二十年，連洋脛邦英語也說不通，說來說去也只有那幾句話。」

我問他說：「既然那些員工單身又年輕，何必要死賴在那裏呢？」

「說也可憐，他們身上沒幾個錢，總想用最刻苦的方法打工存錢，外邊房租貴，一付完房租就沒錢可剩，只好忍氣吞聲待在那兒，而且他們剛到美國，膽子又小，那敢回話頂他呀？」

之後，姜先生表示電路修好後，自己要跟朱老闆談清楚，到底要不要留他在市區旅館？若要自己也得徵求太太同意再決定，若太太不想來，自己亦不能單獨留在這裏。

我們正在談話，但見朱老闆親自開車來接姜先生。飯後，姜先生停留半晌，才隨朱老闆離去。

一連兩天，我都沒去市區旅館，亦沒見到他們的蹤影，甚至連電話也沒打過來，我正在納悶時，晚上姜先生來電話說：「朱老闆已經回去聖地牙哥，我決定要留在這裏，我太太這兩天會開車來，不需要我回去載他們，以後大家有很多機會聊天啦！」

妻聽到這個訊息，也喜不自勝，我們又可以結交新朋友，認識新同鄉，也許會跟喬治一般投緣，變成知己。那時候，大家互相照應和支援，甚至可以同仇敵愾來對付共同的老闆。萬一出什麼差錯，也可以有人商量。何況，姜先生夫婦是一對老美國了。

一天，我去找姜先生閒聊，他又透露一段自己要留在歐斯納鎮的動機，他說道：「朱老闆答應要加薪三百塊錢，請我們夫妻留在市區旅館，我答應他了。同時，我太太也巴不得快些離開聖地牙哥，希望住得舒服些，活動自由些，尤其五歲的女兒最恨那個房間。」

接著，姜先生坦爽地自我介紹一番，他的話給我不少的感觸。

原來，姜先生十多年前就來到美國留學，專攻電機，拿到學位後，先在德州一家工程公司上班，有了積蓄，便開始經營餐廳，三年下來，生意不理想，幾乎虧了老本，便來加州闖天下，他發現加州洛衫磯附近的房租遠比德州貴上好幾倍，且身上儲蓄所剩不多，爲了解決迫切的生活問題，便決定替人看旅館，既能省下房租，又有薪水收入，忍耐幾年再做下一步計劃。姜太太也是位知識份子，曾經留學加拿大，在台灣當過某國立大學的英文講師，婚後來美國夫唱婦隨，非常賢慧，目前除了有一個五歲女兒，姜太太還懷有幾個月身孕……。

自從姜先生夫婦來到市區旅館以後，兩家來往頻繁，很快成爲莫逆，幾乎無話不談，所談內容都繞著朱老闆夫婦平時的爲人處事，以及幾間旅館的生意方面。當他們知悉喬治臨走給老闆那一妙招，也忍不住鼓掌叫好，大快人心，只聽姜太太笑說：

「如不給他們一些教訓，他們還自以爲我們這群讀書人懦弱，好欺負。我想，他們會反省一陣子，這樣對他們以後事業會有幫助。」

我覺得她說得對，朱老闆夫婦也許會「因禍得福」，不會一直這樣剛愎自用，僵硬執迷下去吧？

轉眼到了新年除夕，生意幾乎一落千丈，妻不禁發愁，深怕不久看到老闆夫婦那副難看的嘴臉，說不定還會被挖苦或指責一頓。如果雙方鬧僵了，以後日子會更難過。於是，我們加緊調查市場，每天很仔細讀每一章徵人廣告，且主要項目都放在旅館經理這一行，理由如上述，想來想去只覺這一行最適合我們，但偏偏找不到好情報，洛衫磯幾位朋友那裏也回答說，暫時沒有什麼好旅館請人，盡量安慰我們不必擔心，而且要我們忍耐些，只要老闆沒叫我們走路，就不必自己急著走。雖然黑人區有幾問旅館要僱人，但衡量我們的情況，實在不適合去那裏，除非萬不得已才去。

然而，眼前的形勢讓我們日夜不安，好像疑心暗鬼的處境，總覺得老闆夫婦要叫我們滾蛋了。

姜先生夫婦說，他們的生意也不理想，尤其埋怨附近治安很惡劣，遠不如聖地牙哥那邊的墨裔偷度客善良，那些墨裔簡直比五十年代台灣鄉下人還要老實，簡直可以任人欺負，看來蠻可憐，而朱老闆對付他們最過癮，最拿手。歐斯納鎮居住的墨裔卻不太一樣，因爲他們土生土長在美國，滿腦袋美國思想，也會講流利的英語，當然以美國人自居，眼見剛來的東方人英語不太流利，反而想要欺侮他們，折磨他們。

一天下午，雖然陽光高照，不知怎地卻也細雨濛濛，下個不停。姜太太開車帶著女兒來訪，剛巧我也打掃完畢，把工具收拾後放入倉庫裏，回到客廳喝杯茶，就見姜太太偕同女兒走了進來。

這時，妻陪著姜太太閒聊，我在填寫櫃台的書面作業，偶而也坐下來奉陪一陣，記得姜太太說道：

「我當初從中文報紙廣告欄，找到聖地牙哥那家旅館的工作。我記得貝蒂老闆娘很壞，故意用英語問話。其實，我知道她是中國人，應該不是土生土長在美國。所以，我故意用國語回答她，但她一直逼我用英語回答，我也只好說英語啦。一開始我就不客氣糾正她的腔調和發音，反問她說，你怎麼像墨西哥腔調呢？她聽了很不好意思，才改用國語問話。從此以後，她再不敢跟我說英語了。單憑英語交談，他們就不敢藐視我，估計我們來美時間比他們還久，各方面也懂得比他們多，才使他們對我們另眼相待，說話稍微客氣些，但聽在我們耳朵裏仍嫌不夠厚道……。」

妻說道：「我們在台灣脫離英語環境太久，年紀又大，記憶很差，來到美國憂愁生活，無心學習，總覺得進步不多，有時很氣餒，很沮喪。」

姜太太安慰妻，說道：

「千萬別這樣想，如果每天能記牢兩句標準英語，不要洋涇邦，一年下來便有七百多句成熟的英語可用，那樣就差不多啦。朱老闆來了十幾二十年，到底當初英語基礎太差，學歷又低，現在充其量也只能勉強聽懂些簡單會話，表達能力還差得遠呢！老闆娘貝蒂的會話還可以，但也談不上流利。你們不妨大膽跟他們用英語交談，他們不一定會說得比你們好。你們聽他平時說國語亦不見得流暢，不必怕，大膽用英語跟他談。」

姜太太的鞭策與鼓勵，無異揭穿了朱老闆夫婦某方面的底細，讓我們不但對英語學習有了信心，也對朱老闆夫婦開口閉口洋涇邦英語打了折扣，間接緩和些我們因爲英語欠通所感受的壓力，從此以後，我們面對朱老闆夫婦任何指責，或稍有不太客氣的疑問，也能更大膽跟他們抗辯和據理力爭到底了。

姜先生夫婦發現伊西旅館的規模和房間，比市區旅館大出一倍以上，佔地面積則超過四，五倍。當然，不論打掃和經營各方面都要付出更多，看到我們全家上下埋頭苦幹，戰戰競競，結果仍然不得老闆賞識和厚待，反而飽受冷落和歧視，不禁替我我們打抱不平，有一次，姜先生向朱老闆坦率建議說道：

「你們若肯提高他們一些待遇，說話和態度稍微友善一些，那麼，他們會對你們的事業發展極有幫助。在一群夥計裏，很難得像他們一家人那樣盡忠職守，他們剛到美國，兒女都在這兒上學，對環境還不熟悉，短期間不會輕易離去，除非實在待不下去。」

他這番仗義執言，反讓朱老闆聽了不舒服，馬上冷笑回答姜先生說道：

「待遇是雙方事先談妥的，沒什麼好商量，我不需要多付，他們若要走，隨時請便，我有錢不愁請不到別人，連外國人我也敢請。」

我們乍聞姜先生的轉述，的確很氣憤，妻聽了更激動和難過，但也加強了我們不惜辭職的決心，尤其不一定非待到學期末才走，不像以前那樣執著「學期結束，才告一段落」的想法，反正美國學校頗具彈性，各地學校採用不同程度的教本，也用不一樣教法，不會落入如台灣那種「趕不上功課」的麻煩，毋寧說，有時輾轉讀過幾個學校，反而能讓孩子多接觸美國學校多元化的學習體驗，這也未嘗不是優點之一，但輾轉得太頻繁就有缺陷，可能有負面效果，這是稍後我們經過多方觀察與思考後的心得。

那天放假，孩子幫我很快掃好房間，我開始實地做一次市場調查，依據歐斯納鎮電話簿上，所有汽車旅館的地址，逐家去參觀，並順便打聽要不要僱用家庭檔的經理，不但索求待遇不高，而且負責打掃房間，可以最忠誠負責的態度服務到家，可惜，那些旅館老闆全是美國人，當他們聽到我不太流利的英語，也許內心不以爲然，只是頗有禮貌地敷衍說，暫時不需要，請你留下電話，需要時再通知，所有答覆都是如此，讓我們一直苦等也沒有下文，不禁失望透頂。

期間有一次，我們跟朱老闆夫婦爭吵了，雙方互不退讓，結果不歡而散，但留下的後遺症可不輕易治癒，毋寧說，那是一次讓我印象非常惡劣的口角，起因應該不是我們挑起……。

那天晚上十二點左右，朱老闆一家又疲累地回來了，當時，我們正坐在沙發上看電視長片，全神貫注之際，忽然聽到「咔」一聲門響，他們的女兒先進來，半晌，大人才陸續進門，我起立招呼說：

「一齊回來啦！」

兩個大人沒有作聲，只聽他們的小男孩答說：「晚安！」

停車場的車輛寥寥無幾，也許他們看了早已不高興，才悶著一肚子氣走到櫃台，迅速檢查一下登記卡，兩三分鐘後，貝蒂首先開口責問說道：

「怎麼把生意做得這樣差？」

我一時楞住，一句話也說不出來，幸虧妻反應敏捷，馬上很強硬地反問說道：

「客人不來，我有什麼辦法？難道要我們上街拉客？」

貝蒂臉色陰陰地答說：

「我們近來做了許多廣告，打算配合年初美國人的習慣性渡假，像以往一樣，每年這時候生意都好轉，到底你們有沒有把房間掃乾淨？」

貝蒂轉過頭注視我，口氣極不友善，朱老闆站在一邊望著黑暗的窗外，一句話也不吭，我的怒氣揚了起來，激動地抗辯說道：

「房間全部由我打掃，生意好時也是我掃出來的，第六號房那位義大利老頭兒，是旅館的老房客，住在這兒五，六年，他說以前的生意從來沒像現在這樣熱絡過，可見你在騙人。生意好壞跟市場有關，誰也不是神仙，能夠控制生意變化。」

這時，朱老闆突然轉身怒視著我，而且走進一步，好像要動粗的樣子，但聽他冷笑一聲說道：

「好啦！我不跟你們談理論，你們是有學問的，只會談大道理，不懂得實際，這個月營業額落下來是事實，我不問什麼原因，我是老闆，在美國，所有老闆都有權利命令夥計，現在我只要營業額提高，一切等到下個月結帳再檢討。」

我心想，事已至此，還有什麼好解說呢？他們是老闆，我們是夥計，現在爭辯下去，很可能會僵硬，情況會更尷尬。我向妻丟個臉色，要她適可而止，只要表示我們的立場就夠了。這時，他們的孩子走前來看電視，朱老闆轉身移步上樓，貝蒂也跟著上去。

那個夜晚，我們睡得極不愉快，我想，妻的心情也一樣，我們都沒有說太多話，就進了臥房。

三天後，洛衫磯一位王姓的客家同鄉打電話來，他是我的小學同窗，他來美國只比我早到兩個月，而今在一位華僑商店負責中藥材進口，待遇甚優，全家生活相當安定，他們除了夫婦以外，尙有兩個讀中學的女兒。我們平時經常電話來往，住在黑人區旅館時，他們夫婦也來看過我們，從一開始到現在，他們的際遇都比我們好。在台灣，他們也經營大藥材店，爲了某種原因，他們移居美國，但他們身懷巨款，所以不像我們的遭遇那樣的坎坷和挫折，當他們知曉我們現在的情狀後，老同學毫不躊躇地說道：

「老闆果真太不像話，逼人太甚的話，先辭職再說，到我這兒來待一陣子，有空慢慢找，洛衫磯一帶汽車旅館幾乎有一半在台灣人手裏，你們怕什麼，有這麼豐富的實際經驗……。」

我聽了很安心，也覺很有道理，跟妻商量了半天，她也贊成王同學的看法，接著，我們問孩子的意見，女兒說道：

「我們班上常常有新同學進來，也經常有同學離去，美國人好像遊牧民族，一天到晚搬家。」

我們聽懂她的意思，她不在乎中途輟學的日子。兒子也能理解父母的苦心，和眼前不得意的處境，他沒有說什麼話，只說一聲：「隨你們的便啦！」

這時候，我們終於有了結論，暗中決定了方向，於是，我極力安慰孩子們說道：

「這裏情形你們很清楚，也許不到學期結束，我們就要離開歐斯納鎮，你們要去別的學校，你們不必難過，別的學校會更好，這裏太鄉下，程度太低，我們不稀罕這種地方……。」

我搬出一套很勉強的理由，諒孩子們應該明白我的言外之意，但他們沒有再多說什麼，全家上下都處在前途茫茫的低潮裏，而這種心情肯定不是在國內生活的人所能體會，和想像的。

當然，安妮也聽到了我們的計劃，她鼓勵我們說道：

「你們怕什麼，身上不是一毛錢也沒有，何況有這樣豐富的旅館經驗，難道怕找不到旅館事做？我恨不得早日買一間旅館請你們去，有你們這樣負責，忠心的夫妻檔幫我照顧，我能放一百個心，還有你們去了洛衫磯也不難找事，因爲那裏台灣人旅館多著哩！他們求之不得，像你們全家上下合作的情形不多見啊！」

乍聽安妮這樣說，我們有了更多勇氣，接著又聽安妮很誠懇地邀請我們全家去她那裏住幾天，她說道：

「你們去了洛衫磯，恐怕很難特地回來玩，這樣好啦，你們離開歐斯納前，先到我這兒住幾天，辛苦這麼久，好歹也休息一陣子嘛。」

由衷感謝之餘，我即刻允諾了。

之後，我們暗中採取行動了，首先，趁老闆夫婦不在這兒，便逐一打包大小行李，接著自己開車送到安妮家擱著，因爲自己的豐田車小，載量極有限，每趟只能放入三，四個小皮箱，所以前後送了好幾趟，只剩下最後兩大皮箱和貴重物件的手提包，可以最後一併裝在車內載走，我想，老闆夫婦怎麼也意料不到我們將先發制人，會趁他們辭掉我們之前，我們已經做好「先走」的妥善計劃。

眼看時機成熟了，各項準備也差不多就緒，我們如實告知姜先生夫婦，他們聽了依依地嘆一口氣，同時提醒我們說道：

「不論幾時離開，千萬要雙手拿到工資後才能吐露，既有前車之鑒，豈能不防小人刁難？」

這一點我們早有了警覺，我心想，果真拿不到錢，以後也不可能拿得到，即使他們不寄給我，我自己也不可能老遠開車回來拿。

俗話說，只要對你無所求，我也跟你一樣大，意謂只要不想幹，夥計同老闆一樣身份，沒有尊卑的區別。這時，我們的心情正是如此，忽覺無拘無束，平時工作與老闆的壓迫感如同雲消霧散一樣，不知跑到那兒去啦！至於往後的計劃暫時擱在一邊，一切按照預計的步驟進行。

期間，朱老闆也曾回來過，一如往昔，他根本沒有察覺到我們搬走了許多大件行李，同樣地，他也沒有表示要趕我們走路，但我們已有了盤算，也有了對策，只要他敢像上次那樣給我們難堪，我們必會趁機抗辯，說：「那你另外請人吧！我們不幹啦！」結果，相安無事，一天又過一天，我們很放心在等待機會，反正有備無患，既已有了萬全的退路，什麼都不放在心上了。

那天中午，我們正在客廳看電視節目，忽然姜先生來電話問我說道：

「朱老闆回來了，你知道嗎？」

「真的？他幾時回來呀？」

我頗感意外，依據往例，他們很少會先去市區旅館，之後再來這裏，而今反其道而行，頗不尋常，又聽姜先生接著說：「不止他一個人，還帶一個台灣人來，不過，我還沒有機會跟他們交談，是不是來接你們的班呢？你們向他表示辭職的事情嗎？總之，你們心裏要有準備。」

「辭職的事，我們還沒提過，諒他也沒有預防，依我看，那個人十之八，九是來接班，否則，怎會不先帶來這邊過夜呢？也許他要先下手爲強，不讓我們事先防範，好啦！多謝你關照，我們自己會面對。」

姜先生聽到我的話很激動，又像很緊張，即刻在電話中安慰說道：

「也許我猜錯了，那人是他的朋友陪他來玩，亦說不定，你只要有心理準備就行了，看他怎麼出招，便怎麼接招。」

「我們都準備好了，謝謝。」我說完就掛斷電話。

我把姜先生的電話內容讓妻知曉了，她毫無畏懼地說：

「接班人都來了，我們還猶豫什麼？總不能被人說：『滾蛋』呀！待一會兒他們一進門，我們幹脆說聲『不幹』如何？」

「今天就要走？」我有些疑慮地反問她。

妻卻也沈思不答。

這時，我忽然心裏起了念頭，也許是個好法子，我說：「這樣好啦！我們在台灣做事從來沒有被人嫌棄，到這裏也不能任人擺怖，被人叫走路，但也不必完全倣效美國人那樣不講感情，說走就走，當天做完事，當天給工資，幹脆先告訴他說，明天不幹啦，不必等他先開口。」

妻也不反對這項意見。

俗話說：「做一天和尙，撞一天鐘。」只要一天在職，我們絕對不會怠工一分鐘，工作效率亦不打折扣。每間房照樣洗刷，吸塵和清掃得一塵不染。到了黃昏，全家心事忡忡面對一道特別佳餚，妻說今晚或許是我們坐在這家旅館最後一次晚膳，菜色特別精緻，種類也增多幾盤，因爲這裏的海產物美價廉，妻擺出兩種鮮魚，讓大家難得一次享受。

大約九點半左右，朱老闆一個人回來，他進了經理室跟往常一樣，只跟我們點了個頭，看樣子好像不大開心，我先開口問他說道：

「吃過晚飯沒？」

「吃過了。」

他簡單回答一句，便去櫃台查閱客人登記卡，我們默坐無語，各懷心事，這樣約有五分鐘，我便向妻使個眼色，妻理會後點點頭，我們意識現在正是時候，我便發話說道：

「朱老闆！我有話想跟你談談，你現在方便嗎？」

他抬頭看我，有些愕然，便問說道：「什麼事？」

我用堅定的語氣說道：「我們明天要辭職，中午十二點離開，你看怎樣？」

他仍然冷冷地回答一個字，說：「好。」

「那麼，明天十二點請你來接班，辦理移交的事情。」

「移交請你延到下午五點鐘好嗎？」

朱老闆第一次用「請」這個字，聲音有些溫和起來。

「爲什麼？」妻立刻機警地問朱老闆。

「我馬上要回去聖地牙哥，偕同我太太趕回來。」

「好，明天順便也請你把工資算好帶來喔！」我提醒朱老闆。

只聽他立刻回答一聲：「好！」隨即上樓去。

大丈夫一言既出，駟馬難追，大家都把話說開了，一切內心的猜疑，憂鬱和自卑也都不存在，此後彼此互不來往，既不是朋友，也不是勞資關係，縱使在街上偶然相遇，不打招呼也無所謂，誰也不猜忌，不在乎誰！

次日起床，我們發現朱老闆的座車不見了，而這是以前從來沒有過的事，他習慣睡到中午時刻才慢吞吞下樓來。當我們向姜先生說完昨天的經過，姜先生很平靜地說道：

「辭了也好，反正你們去洛衫磯不愁找不到旅館方面的事，你們的經驗太豐富啦！看看什麼時候再跟你們見面……。」

剛好昨晚的生意也非常清淡，幾間房打掃完畢，我便去學校接回孩子，順便向學校老師說明轉學的原因，並從教務處申請一份轉學證件，導師依依不捨向孩子們話別，此情此景，頗像台灣五，六十年代鄉下學校師生感情的流露，給我留下十分深刻的美好回憶。

回來後，我們把所有大小行李，鍋子，碗盤和孩子的書籍等統統都塞進車子裏，大家與其說輕鬆地坐在客廳看電視，不如說很忍耐等候朱老闆夫婦快回來辦理移交。

朱老闆回來以前，姜先生自己開車來話別，他送我們一份詳盡的洛衫磯地圖。

「將來出門要隨時帶一份地圖，剛來美國的人開車出去，容易迷路，不會分辨東西南北的方向，而且地方遼闊，距離又遠，很難記牢街道名稱，出去找工作必須放在車上，才能安全回到家呀！」

姜先生的古道熱腸，讓我非常感動，即刻道謝再三。

期間，安妮來了幾次電話催促，約好到她家吃晚膳，她要準備幾樣好菜等我們，她十分誠懇地說道：

「一個人留在那兒移交給他夠啦！不必大家都在那裏呆著，我們要等你們來了才開動，你們可不能客氣喔！」

當時針指著四點半，陽光慢慢移到樹梢的西側，大地開始呈現些黯淡了，我們的心七上八下，納悶他們到底會不會趕回來呢？孩子們不斷提出這個問題時，我們也只能答說：「誰知道？」事實的確如此。

眼看五點快到，我們的耐心有些鬆動之際，忽聞有人開門的聲音，轉頭一看，朱老闆已經進門了，隨後貝蒂也拿手提包走進來，她馬上開口說道：

「抱歉，讓你們等久了。」

「不要緊！」

妻一面答說，一面捧著幾本帳簿，和一疊現款等遞給貝蒂說道：

「所有帳簿都在這兒，兩天的現金收入你先數數看，共計四百八十五元，如有疑問，請你當面提出來。」

貝蒂收入了帳簿和現款，就把現款遞給朱老闆，她開始逐頁翻閱核對，朱老闆坐著收現款，我若無其事在注視電視，孩子們也沒說什麼話，場面還是很平靜，很溫和。

朱老闆數完了鈔票，便起立走到貝蒂身邊，幫忙翻閱帳冊，從頭到尾都還沒說話，我不知他現在心裏想什麼?也許他最大的疑問是，我們爲什麼不等到學期末才走？

半個時辰後，朱老闆夫婦一起核對了帳冊，沒有發現什麼不妥，但奇怪的是，對於我們的工資不聞不問，好像完全忘了一樣，我實在忍無可忍，就開口說道：

「請把工資也算給我們吧！」

「你放心，不過，今天不是發薪餉的日子，你們留下地址，我會郵寄給你。」

儘管朱老闆說得很客套，其實，我們早已料到他會來這一招，這時，我忍不住厲聲對他說道：

「朱老闆，我們還是好來好去吧！這些小錢對你們，根本不重要，但它是我們的吃飯錢；做人不要傷天害理……。」

「我又不是不給你，我已經說會寄給你呀！因爲今天不是發薪餉的日子，我們不方便做帳。」

朱老闆陳腔濫調，故技重演，我們早有預防，這是一種拖延戰術，最後達到「不給」的目的，我才不吃這一套。

我憤恨地站起來，怒目注視他說道：

「你若不寄來，我也不會從老遠回來拿。中國人圈子很窄小，你認識的朋友，將來我也可能認識，例如你常說的老簡，老林和老古都在做旅館。如果我告訴他們，你吃我的血汗錢，這樣對你不太好吧！」

朱老闆冷笑說道：

「我說會寄，就一定會寄的，你怕我吃掉嗎？」

坐在一邊的妻，好像也忍無可忍站起來大聲叫嚷：

「你現在給我不是一樣嗎？爲什麼那樣麻煩要用郵寄呢？」

我又接口說道：「你的目的我很清楚。這樣做很缺德，好吧！我現在打電話給歐斯納鎮一位朋友，請他來評評理。」

我說完話，就走到櫃台邊拿著電話筒，貝蒂見了馬上開腔說道：

「好啦！我給你先拿，其實，我一向習慣在結帳那天才發薪，這樣比較不會搞錯。」

我心想：「這是鬼話。」但我默不作聲，一直注視貝蒂。片刻後，貝蒂算好工資，不包括今天，遞到妻的手上。這時，我才鬆了一口氣，我想，全家上下也一樣鬆了一口氣吧！

當我們的座車緩緩離去時，朱老闆夫婦站在經理房門口，頗識趣地向我們搖搖手，說道：

「再見！」

我們全家也一齊搖搖手，異口同聲說道：「再見。」

前後八個多月的日子，終於像惡夢一般落幕了。

我們在安妮家住了二個晚上，足不出戶，大部份時間都在看電視和睡覺休息，實在精疲力盡，彷彿累倒一般躺下來，希望在幾天內完全脫離惡夢般的情緒，接著，開始養精蓄銳，盡量鼓起勇氣向前途再出發，再前進。

期間，安妮都陪我們聊天，談家鄉情和她婚前的回憶，當然，我們亦不忘對前途計劃交換意見，結論仍然如上述，再去找個旅館經理做，若有可能，小本生意也不妨。

兩夜很快過去，雖然安妮好心再要我們住幾天，而且我們的疲憊感仍然很沈重，但我們無心再續住下去，還是快些去拜訪那位老同學，再同她們商量將來的前途比較要緊。

出發前，我仍想再確認一番，就打電話給王姓同學，他在長途電話中依舊安慰我說道：

「你來嘛！客套什麼！在這兒一面休養，一面計劃，我家隨時有人恭候。」

阿彌陀佛！好極了，我又放心許多……。

本來，我打算先攜帶些必要用品去投奔王同學，其餘的皮箱太多，一時也用不上，不如暫時擱在安妮家，待我工作有了著落，居處沒有問題後，再抽空回來搬去，安妮說，何苦這樣麻煩？不如我開三部車，把行李統統放進去，請她先生和兩個兒子一起送我們去，不就結了嗎？

恭敬不如從命，三部車終於離開歐斯納鎮，以七十英里的快速直奔洛衫磯的橘縣方向，快近中午時刻，我們安全到達了目的地。安妮夫婦和兩個兒子幫我們卸下行李，但她婉拒到附近餐廳一起用餐，就匆匆要離去。臨走時，安妮依依不捨說道：

「你們只要一找到工作，就給我打電話。」

我們全家都站在門前一棵榕樹下，目睹安妮兩輛車緩緩退出院子，再來個左轉彎，便迅速地離去了。

我們在王姓同學的寓所住了兩星期，適逢學期結束，期間，我把什麼事都暫時放下來，晚間陪著王同學夫婦聊天，高談闊論美國社會的見聞，覺得這個國家非常有趣和不可思議，跟我們沒來以前的道聽途說和想像完全兩樣，雖然碰到幾位老華僑在這兒住了二、三十年，聽到他（她）們對美國的分析，思考和感觸，也如瞎子摸象，各抒己見，而我也抱持「妄且聽之，不做結論」的態度，因為大家都在摸索，都從不同角度和有色眼鏡在觀察，誰的說法都對，也都不對，或者都有些道理，也都沒有什麼道理。

白天我沒事不出去，反而靜靜在讀佛書，例如「怎樣活用佛陀的智慧？」，「紅塵讀經」，「快種福田」之後，受用良多，始知人生與世事都不離因緣果報，任何苦惱的生起，皆是由於世人昧於這個真理。我有時回想：朱老闆夫婦若有機會領悟這句佛理？肯定有不一樣的處世態度或人生觀！

大約兩星期過去，一天傍晚，黑人區那位彼得太太忽然來電話說，聖蓋博市有一家台灣人經營的汽車旅館，正想聘用一對夫妻檔經理，位於墨裔和華人的混合區，待遇和其他條件要面談時決定，但首要條件是對方必得有實際經驗，若我們有意試試，不妨約定時間去面談……。

我們夫妻商量了一陣，覺得休養得差不多啦！也該開始踏入職場啦，便答應某日某時去面談。這時，我們彷彿一對老兵，曾經接受過非常嚴苛的戰場洗煉，之後又要投奔另一陣線去迎接新挑戰一樣，絲毫沒什麼侷促與不安了。

不久，雙方很快談妥了，俗話說：「行家一出手，就知有沒有。」因爲那位郭老闆擁有十多間旅館，白手起家，而今仍然全家在照顧其中一間，舉凡旅館可能碰到的各種問題與麻煩，他都一清二楚，故當他提出問題質詢時，我們都能對答如流，而且具體，詳實，讓他十分滿意，當下談妥了待遇和若干到任後應該注意的作業事項。雖說我們所能得到的不頂優厚，但衡量其他狀況，我們還可以接受，而最令我當初憂慮的居然完全不存在，光是老闆夫婦這方面，他跟朱老闆夫婦的作風，有天淵之別，或者說完全相反，我們真是慶幸不已。

光陰迅速，我們走馬上任很快過了一個多月，全家上下團結合作，共體時艱，不論孩子們上學，或我們的作業，到另一個新環境，都難免遇到新挑戰和新挫折，只要悟解「萬事起頭難」，「不走出第一步，就無法邁出第二步」，那麼，咬緊牙根之餘，不忘靠機智與勇氣去破解，應該不會活不下去。

那天下午，我毫無預感，事先亦沒有接到電話通知，看到一輛紅色轎車中，走出三位不速之客——姜先生夫婦和他們的女兒，笑臉迎人，我們喜不自勝，妻首先發話，說道：

「什麼風把你們從歐斯納鎮吹到這兒？」

姜太太看來稍微清瘦一些，步伐蹣跚走前來說道：

「其實，我們老早就要來，直到昨天才把事情告一段落，就特地從歐斯納鎮趕來。我想不先通知，你們也會在家。」

待大家紛紛坐定，姜先生才不急不緩，面色凝重地透露一段意料不到的事情，也是我們離開後朱老闆家庭發生的巨變，事情是這樣：

我們離開伊西旅館後，第三天就來了一對范姓夫婦，聽說朱老闆拜託中國城一位朋友介紹來的，是一對早期的老留學生，兒女不在身邊，夫婦先來實習，以前沒有經驗，但他們的條件比我們優厚，多出兩百元，同樣地，朱老闆夫婦從旁輔導他們兩個星期，直到他們完全進入狀況，可以充份掌握的程度，才放心離去。

范經理還算老實人，也蠻認真作業，但范太太是個極厲害的女人，她不滿意經理室的客廳跟她們的臥房，僅用一塊花布間隔的粗陋裝設，因爲女人用化粧品無處可放，極不便利，就要求改換位置，增加一張桌子；尤其，她不習慣門外那個一按手，就立刻發出「嗶！嗶！」響聲的門鈴，要求換個比較小聲的門鈴，否則，那樣大響聲會把她的心臟都要震跳出來。但是，朱老闆嚴拒她的央求之外，還十分苛薄地挖苦她說道：

「有免費的地方睡算不錯啦！還要求什麼東西？別忘了自己是來打工，可不是來享受的呀！以前所有經理都不敢埋怨，他們統統挨得過去，你還嫌棄什麼？」

范太太聽了憤怒之餘，也不再多說話，知道對方不可理喻，便在暗中搜集各樣證據。拍攝了臥房照片，兩個月後，偷偷向地方法院提出控訴，說朱老闆苛待員工，一天作業二十四小時，又低於法定工資，更可怕的是，她硬說老闆漏稅，每期以多報少，她願以經理身份出面作證……還有市區旅館辭去那名女清潔工瑪利亞，也因憎恨朱老闆長期的低工資待遇，一齊加入控告行利，遠在聖地牙哥那幾位伙伴獲知這項消息，紛紛表示要參加她的陣營，不惜放棄工作，跟朱老闆硬拼到底……誰知朱老闆獲悉一切情狀後，仍然冥靈不化，頑強抗拒，時常冷笑說道：

「我有足夠的錢打官司，但不知他們有沒有錢請得起律師，我一定奉陪到最後一分鐘，等著瞧好啦！」

殊不知范太太不是個簡單人物，她事先早已跟一位律師設計好，之後慢慢搜集證據，才敢提出控告，而律師也保證說，這場官司有必勝把握，值得打下去。

范先生倒比較厚道，曾經當面警告朱老闆，採用私下解決的方式，支付一筆錢可以了結一切怨憎。不料，朱老闆堅持不肯，還在顢頇抗辯說道：

「我老朱什麼場面沒有碰過？你們能請一位律師，我還有能力請到三位律師哩！」

事情就這樣糾纏下去。老實說，朱老闆的情緒受到相當程度的負面影響，表面裝作不在乎，無所謂，蠻頑強，其實他外強中乾，內心怕得要命，而且怕人看出來，或被人譏笑，平時愛譏諷和控苦人，才最怕被人以牙還牙，而這種心病是很基本的常識，騙不到人的。

前陣子，他也許情緒惡劣，忽然對我極不客氣，我們才不怕他呢？只要聽他講話無理，也敢當面頂他，於是，我們爭吵起來，類似的例子發生好幾次了，我們想來想去，這樣待下去沒有什麼意思，打算不久要離開。

我們猜測這場官司不須等多久，朱老闆必敗無疑，因爲有太多證據不利於他，且敵人好像愈來愈多，連我們不認識，也沒聽過的離職員工也紛紛來打聽，看要不要他(她)們挺身出來旁證，他自己早年種下的惡因，做夢也沒想到會有時機成熟，嚐到惡果的日子。

我們猜測，最恐怖的是逃稅這一項，國稅局絕對不會放過他，只要查證屬實，從前到現在，一併算帳，恐怕連整座旅館都會賠上去。因爲依國稅局的算法會從他以前接手那天起算，加上利息，複利一齊滾下來，總數相當可觀。不僅那一家而已，連他們名下的其他兩間旅館都會一起被查核，一旦發現漏稅，照樣後果不堪設想……。

中國人嘛！有誰肯老老實實報稅呢？老實說，我們也有些擔心他，反而他自己不知死活，只聽他還得意說道：

「我已經趕跑了一百個夥計，誰也奈何不了我，即使趕走你們，我自己也有辦法支撐……。」

他們萬萬沒料到第一百零一位夥計居然會比他厲害，俗話說，夜路走多會碰到鬼，而今遇到范太太這樣能幹的女人，頗似一個恐怖的女鬼頭。看樣子，朱老闆跑不掉這一鬼門關，誰叫他們平時那樣待人嘛！據我們估計，頂多再過一個月就有結果，朱老闆肯定不會再風光，別說傾家蕩產，半生積蓄與奮鬥付於東流，恐怕犯了刑法還要坐牢哩！

聽到這裏，我們都不禁面面相覷，爲朱老闆夫婦嘆氣婉惜，反而忘了昔日諸多憎怨，尤其同情他們無知固執，事到如今，還執迷金錢能夠解決一切，完全昧於現代法治國家，守法第一，其他都好談，而不像在台灣談一味守法，有時反而會被人譏笑「沒路用的人」。

妻的感觸特別探刻，平時跟她談佛理，她都沒什麼興趣，而今似有所悟，竟會語重心長說道：

「這是因果報應，而且是明顯的現世報，一切是他咎由自取，怪不得誰。」

姜太太說道：

「我們打算下月底領到工資就走；那時，官司也許有了結局，說不定提早有結果，成敗太明顯啦！我們若再不走，恐怕以後的工資會領不到呢！」

夕陽西下，馬路上車輛開始如過江之鯽，正是下班擁擠的時候，姜先生夫婦留在旅館吃過晚膳，才在依依和相互鼓勵聲中離去。

有道是：世事無常，你我相逢即是三生有緣，緣份盡了，各奔東西，彷彿一場遊戲之夢，而這也可印證我們跟歐斯納鎮那群朋友的情誼——萍水相逢，不久卻也勞燕紛飛，不再見到蹤影。

屈指一算，幾乎三個月多沒有姜先生夫婦的任何音訊，這也難怪，彼此開車要花一個半時辰，大家有工作在身，當然不可能互訪；時間上打長途電話，即使長話短說，你一言，我一語，匆匆談個十幾二十分鐘，那筆費用也不是小數目；將心比心，儘管我們非常期待對方能撥個電話來，或以離職後的解脫心情光臨，痛痛快快談一陣——朱老闆的近況或結局，無奈——事與願違，日子始終十分納悶，等待和失望中渡過，後來聽說他們去了東部，失去了連絡。

今天星期一上午的生意比較清淡，比起周末和周日差得多了。我從上午十一點開始，依照往常習慣，陸陸續續去清房，不到兩個時辰，不慌不忙，也清掃了七，八間，足以應付任何急需；這時，日正當中，暑氣逼人，職場雖然一直在室內，偶而換場所時，到室外推動一下清潔車，由於四肢不停的動作——換洗床單和枕頭套，地氈吸塵，擦玻璃，洗浴室和洗臉台，清廁所……在房裏走來走去，結果，從頭頂、面頰、眼睛、鼻樑起，直到軀體和腳、腿等，都有流不完的汗水、擦了又濕，濕了再擦；我低著頭，默默在作業，心不妄想、不埋怨，真正領悟一種生平未曾有過的境界——「勞力不勞心」的單純與滿足；因爲自己在台灣從學校畢業，之後待在教育界，都是捧著教書的飯碗——「勞心不勞力」，而今相較卻有相當不一樣的感受；我想，這也是來到美國的一項意外收穫吧？

突然，門外傳來一個男人的聲音——熟悉的客家話：

「劉先生！你辛苦啦！」

猛然一回頭，同時放下手邊的床單！啊！原來是彼得古，我喜出望外，忍不住立刻拉高了嗓子問說道：

「喂！什麼風把你吹來？」

「東南風把我吹來！」彼得仍然以他習慣的微笑，很調皮又極風趣地答話。

我笑著問他說道：「是你自己來？還是跟太太一起來？」

彼得笑著答道：「當然是夫妻一起來；我走到那兒，她就跟到那兒。」

「那是你的信用破產。」我也笑著來一句風趣又知己的諷刺，雙方心照不宣，他一聽就懂。

我進入浴室，站在洗臉台邊，拉開水龍頭，拆開一塊新肥皂，使勁兒地沖洗雙手，取出一條乾淨毛巾擦乾臉上密密的汗水，照著鏡子，吐了一口氣，才走出來拉著彼得走向辦公室。放眼望去，果然看到彼得那部中古賓士轎車停在辦公室門前。我們邊說邊走，走到賓士車旁邊，我刻意停住腳步，打量一下賓士車，禮貌和世故地讚嘆幾句話，其實，我對於任何車都外行，也不感興趣……。

一腳踏入辦公室，彼得太太正跟妻雙手捧著盤子上的西瓜，不待她們開口，我便先笑著向彼得太太說道：

「怎麼有空來呢？誰替你們看旅館呀？」

好久沒見到彼得太太！她的臉頰更加豐潤，略呈圓形，加上她原有的端莊五官，和高雅氣質，跟彼得那副拳師模樣的粗線條舉止，顯得恰恰相反；乍見下，我對這對標準的客家夫婦，倒有某種滑稽有趣的印象。

彼太太答說；

「我們最近請了一位台灣來的老張，精明能幹，訓練兩三個禮拜就上路了。看他可以獨當一面，我們才放心來。早上先到這裏超級市場買些中國食物，也順便來告訴你們一件大新聞，同時想請教你們的意見……。」

乍聽彼得太太一口氣說出來訪的理由，竟然這樣意外和奇特，不由得使我非常驚訝與納悶；我目不轉睛注視著她，半嚮，才側臉望著旁邊的彼得問道：

「什麼大新聞？」

彼得說話一向有口吃的毛病，且又不修飾言辭，而彼得太太正好能夠彌補丈夫這些缺點，她的談吐很穩重，不浮躁，快慢極有分寸，較具說服的本領。這時，彼得只有微笑不語，暗示要讓太太發言，彼得太太表情凝重，不慌不忙地說道：

「就是你們以前那位朱老闆出事了，他必須要賣掉歐斯納鎮的兩間旅館。我想要問你們，那兩間旅館的營業狀況，好不好做？大間的買不起，二十幾單位那間小旅館，我們考慮買下來。」

意外地聽到這裏，我並沒有直接，迅速回答她的問題，反而迫不及待抓住問題的前提，站在我的立場，只想知道朱老闆急售旅館的原因，所以，我趕緊問彼得太太說道：

「朱老闆出了什麼事？」

「可見你們平時只知工作，工作；沒有跟外界接觸，不知南加州汽車旅館業界近來發生一件大事，就是你們歐斯納鎮那位朱老闆禍不單行，屋漏偏逢連夜雨，二十幾年辛苦打拼的事業快完蛋啦！」

彼得搶著說到這裏，再也不願說下去，故意賣關子，旨在加深我的好奇心，真可惡！

到底他出了什麼禍，迫使朱老闆非賣旅館不可呢？爲了追問這個答案，我和妻的眼光不約而同注視著彼得夫婦，一下子瞪著彼得，迅速地又轉移視線，望著彼得太太，結果，總算由彼得太太口中有條不紊地說了出來，我們聽了不勝唏噓，妻尤其用平時罕見的嘆息口吻說道：

「做人實在不必這樣，人在做，天在看！」

原來，那天朱老闆也許心緒不寧，或碰到什麼挫折，竟在高速公路上出了車禍！肇事者是他自己，因爲車速太快，換線操之過急，不知是他沒看見，或忘了背後一輛車緊緊跟隨，一下子衝過線，對方沒看到方向燈，結果將後面那輛車給撞倒。接著後面又有兩輛車措手不及，一齊衝上來，幸好時間在晚上，高速公路上車輛不太多，即使這樣，也造成四，五輛車出事，等於一場連環車禍，當場死了一個墨西哥人，其他人受到輕重傷，其中一個美國白人有生命危險，連朱老闆自己也受了重傷，斷了一條腿和兩雙手，一隻眼睛弄瞎了，在昏迷中被救護車送去醫院……。總之，這是一場大車禍，華文報紙也刊登這條新聞，怎麼你們沒看到？等到交通警察把詳細的調查報告出來，朱老闆夫婦始知自己要負一切責任。換句話說，他們必須負起一切賠償。談到賠償，可說非常恐怖，生活在美國的華人，都心知肚明那筆賠償金會嚇死人。何況，朱老板夫婦平時不但苛薄待人，對自己也捨不得輕鬆或享受，凡是要花錢的事，都非常精打細算，幾乎一毛不拔，例如買保險——車險，人壽險和醫療險等，都盡量壓低，甚至不肯保，總以爲自己闖蕩美國二十幾年，從來沒生過什麼大病，出過什麼大禍，每種保險金額又不便宜，當然能省則省，能免則免，如果不能免，也就想盡辦法買最低額那一種，完全沒有人生無常，世事變化難測的處世態度，而這一下可慘了，除了自己受傷，很可能終身殘廢，需要大筆醫療費，也同時要賠償其他死者和受害人的醫療及車輛損害；總計下來，可能超過一百五十萬美金。台灣人的作風很明顯，在美國誰也拿不出這筆現金存款，大家所謂事業或財富，都是指大批不動產——房屋、土地或事業建築物，銀行僅有極少數現金，何況，朱老闆來美國生根了，事業家庭都在這裏，不可能像其他打工的單身漢，眼見大禍臨頭，立刻溜回母國，而不負任何責任。他們目前惟一的自救方法，就是變賣不動產；首先賣掉洛衫磯白人區兩棟高級洋房，但這還不夠，就必須處理歐斯納鎮的兩間旅館；這一來，他們只能保留聖地牙哥那一間，可是，它還要付許多貸款給銀行，因爲他們當初僅付極少數的頭期款買下來，其餘都向銀行貸款，開始經營以後，每個月必須分期償還……現在汽車旅館業界的台灣人圈子，都在談論朱老闆的車禍後遺症，尤其對他那兩間旅館有興趣，我們也不甘落後，對那間小型旅館蠻有意思，因爲知道你們以前在那兒待過，熟悉當地的市場潛力，才特地來向你們打聽，打聽……。

彼得太太慢斯條理的敘述，我和妻聽得聚精會神，幾乎不肯漏聽任何一句，偶而還會反問一、二次，看看自己有沒有聽錯或誤解；但說來很奇怪，在我認真聽講之餘，三番兩次腦海裏波濤洶湧，刹那之間一幕一幕的往事，好像久旱的枯草，忽然遇到一陣大雨，得到充份的肥料而慢慢復活起來，偶而不由自主地發出幾聲嘆息與唏噓，同時回憶朱老闆與貝蒂夫婦的作風行事，跟他們眼前的悲痛遭遇應有極密切的關連，可惜他們夫婦都朦在鼓裏，完全昧於「因緣果報」的智慧；其實，大多數人判斷，觀察，分析，認知或解讀任何現象及事故，只會重視肉眼所能目睹的外觀與原因，這樣太膚淺，太短視；事實上，現象與事故的背後不單純，肯定有他本人平時所造的各種細微的因果，例如「朱老闆夫婦習慣的言談態度，做人方式……等點點滴滴，所累積下來那種無形或隱晦的因子也不能等閒視之。我在不斷尋思中，從姜先生夫婦幾個月前來訪的談話可以印證，朱老闆在一群新，舊員工聯合圍攻下，頑強抗拒，之後走上法庭，尤其，三不五時往來歐斯納鎮與聖地牙哥兩地的長距離開車，晝夜不分，一定會嚴重腐蝕他們的體力，心智與情緒。俗話說「夜路走多總會碰到鬼」，難道這些跟他的車禍無關嗎？追根究底，還是那句老話：「自作自受，因果自負。」彼得夫婦當然不明究竟，而我們也不願細說，頂多簡單幾句匆匆掠過，但此事卻給我們夫妻留下說不盡的感慨與唏噓。

接著，我和妻竭盡所能將那邊的市場潛力，旅館分佈，客源調查，居民結構等，向彼得夫婦侃侃而談：同時有問必答，答無不詳，可以說將自己的心得傾囊相授，沒有半句保留，最後建議他們說道：

「若想買那間市區旅館，就要自己親自去坐鎮，千萬不能僱人看，這樣才能慢慢做得起來，否則，僱來的人不肯全心投入，也沒有研究心得，頂多做到拉平，不虧本，絕對不會有大錢可賺，但最重要一點，是買價不能超過四十萬，這樣，我想是可以買的……。」

彼得夫婦似乎接受我們的意見，只聽彼得以嚴肅的口吻說道：

「看樣子，我們要去籌錢了，只要買下來，我們夫妻就得搬去歐斯納鎮，讓孩子仍留在洛衫磯；我相信，我們老夫老妻可以把它做起來，黑人區都能做得起來，歐斯納鎮有什麼好擔心？」

彼得太太默默點頭，顯然贊成丈夫的觀點，我堅決相信他們不會中途作罷，因為我深知這對客家夫婦的作風，只要他們夫妻意見一致，都願意攜手合作，全力以赴，十足表現客家傳統的硬頸精神。

他們夫婦很客氣，當天怎麼也不願留下來吃晚飯；暢談間，只吃些水果，連點心也沒吃就離去。

大約過了三個禮拜，一天早晨，彼得終於打電話來說，他們以三十九萬五千買下市區旅館，頭期款只付三分之一，其餘都向一家日本銀行貸款，為期十五年，每月償還一些……另一間伊西旅館也很順利被一位台灣人買走，聽說賣價不高，對方買得很滿意；原因是，朱老闆急需用錢，尤其需要現款，才不敢索價苛刻，怕拖累自己，結果比市價稍低急售出去。

後來，我們在日夜作業的忙碌中，也很少跟彼得家庭電話通訊，反而有一天中午，我們正在午餐時，彼得夫妻要到歐斯納鎮的前一天，彼得太太來了一次電話，問些關於市區旅館的若干細節，接著聽她吐露些朱老闆的近況——官司纏身仍未解決，日夜操心和憤慨，更悲哀的是，他的左眼瞎了。斷腿接合一直不太妥善，必須靠拐杖行走，開車已經不可能，成了十足的殘障者。車禍後的賠償金額可能超過當初的預計，目前正央請兩位美國律師處理中，費用也不得了。兩家旅館賣掉，員工們拿走了一大筆資遣金，朱老闆夫婦發誓，以後再也不僱用台灣，香港來的人，而寧願花更多錢僱用誠實，單純得可以任意壓榨和欺負的非法墨裔，這樣比較安心，比較合適，中國人滑頭不可靠……他脾氣變得暴燥，不像昔日那樣喜歡出席每個月定期舉辦的「台灣人旅館公會」場合，現在深居簡出，不愛跟同業來往，但他很刻苦，勤勞和吝嗇的作風似乎沒有改變……。

老實說，年輕人適應能力比較強，尤其年齡越小，可塑性愈大，處在陌生環境幾乎不知「適應」爲何事，或有任何苦痛？我們的孩子來美國已近兩年，他們日漸成長，慢慢有了自己的思考，價值觀和人生理想，而且耳聞目睹，融合了美國人的觀點與判斷，但是，我和妻仍三不五時向他們提起朱老闆夫婦的變化，其中包括多少感嘆，指責，批判與埋怨，目的不外啓發他們，爲人處事中，不論說話，思考，態度與行爲，都要自己負責到底，別人幫不上什麼忙，而且心有餘，力不足的情況，讓人非常無奈與唏噓；總之，我們都很期盼孩子能從歐斯納鎮那段生活回憶中得些教訓，對自己以後的成熟和成功有所助益。